Johanna Stange (Hg.)

Wenn es doch zu greifen wär, das Glück

Johanna Stange (Hg.)

Wenn es doch zu greifen wär, das Glück

Kaufmann Verlag · Butzon & Bercker

Bibliografische Information Der Deutschen Bibliothek

Die Deutsche Bibliothek verzeichnet diese Publikation in der Deutschen Nationalbibliografie; detaillierte bibliografische Daten sind im Internet über http://dnb.ddb.de abrufbar.

1. Auflage 2011

Umschlagabbildung: Ingrid M. Engelmann
Druck und Bindung: CPI Books, Ulm

ISBN 978-3-7806-3110-7, Kaufmann Verlag
ISBN 978-3-7666-1548-0, Butzon & Bercker

Inhalt

Flüchtiges

Tierisches

Buchstäbliches

Herbstliches

Raffiniertes

Ein Wort zuvor

Wenn es nur zu greifen wär' ... Nach kaum etwas anderem sehnen sich die Menschen seit Anbeginn der Welt so sehr wie nach dem Glück. Sie suchen das große Glück im Kleinen, das wahre Lebensglück oder nur nach dem perfekten Moment.

Kaum ein anderes Thema hat auch die Schriftsteller durch die Jahrhunderte derart gefesselt und beschäftigt.

In dieser Anthologie machen sich Autorinnen und Autoren auf die Suche nach dem Glück und versuchen, sich – wenn es schon nicht zu greifen ist – ihm aus den verschiedensten Perspektiven zu nähern.

Begleiten Sie mich auf eine abwechslungsreiche und faszinierende Reise durch die Literatur rund um eines der größten Sehnsuchtsthemen. Lassen Sie sich dazu inspirieren, weiterzulesen, neue Autoren für sich zu entdecken oder altbekannte wieder aufzuspüren!

Berlin, im Frühjahr 2011

Johanna Stange

Flüchtiges

Frauen sind eitel. Männer? Nie – !

Das war in Hamburg, wo jede vernünftige Reiseroute aufzuhören hat, weil es die schönste Stadt Deutschlands ist – und es war vor dem dreiteiligen Spiegel. Der Spiegel stand in einem Hotel, das Hotel stand vor der Alster, der Mann stand vor dem Spiegel. Die Morgen-Uhr zeigte genau fünf Minuten vor einhalb zehn.

Der Mann war nur mit seinem Selbstbewusstsein bekleidet, und es war jenes Stadium eines Ferientages, wo man sich mit geradezu wollüstiger Langsamkeit anzieht, trödelt, Sachen im Zimmer umherschleppt, tausend überflüssige Dinge aus dem Koffer holt, sie wieder hineinpackt, Taschentücher zählt und sich überhaupt benimmt wie ein mittlerer Irrer: Es ist ein geschäftiges Nichtstun, und dazu sind ja die Ferien auch da. Der Mann stand vor dem Spiegel.

Männer sind nicht eitel. Frauen sind es. Alle Frauen sind eitel. Dieser Mann stand vor dem Spiegel, weil der dreiteilig war und weil der Mann zu Hause keinen solchen besaß. Nun sah er sich, Antinous mit dem Hängebauch, im dreiteiligen Spiegel und bemühte sich, sein Profil so kritisch anzusehen, wie seine egoistische Verliebtheit das zuließ

… eigentlich … und nun richtete er sich ein wenig auf – eigentlich sah er doch sehr gut im Spiegel aus, wie –? Er strich sich mit gekreuzten Armen über die Haut, wie es die tun, die in ein Bad steigen wollen ... und bei dieser Betätigung sah sein linkes Auge ganz zufällig durch die dünne Gardine zum Fenster hinaus. Da stand etwas.

Es war eine enge Seitenstraße, und gegenüber, in gleicher Etagenhöhe, stand an einem Fenster eine Frau, eine ältere Frau, schien's, die hatte die drübige Gardine leicht zur Seite gerafft, den Arm hatte sie auf ein kleines Podest gelehnt, und sie stierte, starrte, glotzte, äugte gerade auf des Mannes gespiegelten Bauch. Allmächtiger.

Der erste Impuls hieß den Mann vom Spiegel zurücktreten, in die schützende Weite des Zimmers, gegen Sicht gedeckt. So ein Frauenzimmer. Aber es war doch eine Art Kompliment, das war unleugbar; denn wenn jene auch dergleichen vielleicht immer zu tun pflegte – es war eine Schmeichelei. „An die Schönheit." Unleugbar war das so. Der Mann wagte sich drei Schritte vor.

Wahrhaftig: Da stand sie noch immer und äugte und starrte. Nun – man ist auf der Welt, um Gutes zu tun … und wir können uns doch noch alle Tage sehen lassen – ein Blick in den Spiegel bestätigte das – heran an den Spiegel, heran ans Fenster!

Nein. Es war zu schèhnierlich ... der Mann hüpfte davon, wie ein junges Mädchen, eilte ins Badezimmer und rasierte sich mit dem neuen Messer, das glitt sanft über die Haut wie ein nasses Handtuch, es war eine Freude. Abspülen („Scharf nachwaschen?“, fragte er sich selbst und bejahte es), scharf nachwaschen, pudern … dauerte gut und gern seine zehn Minuten. Zurück. Wollen doch spaßeshalber einmal sehen –.

Sie stand wahr und wahrhaftig noch immer da; in genau derselben Stellung wie vorhin stand sie da, die Gardine leicht zur Seite gerafft, den Arm aufgestützt, und sah regungslos herüber. Das war denn doch – also, das wollen wir doch mal sehen.

Der Mann ging nun überhaupt nicht mehr vom Spiegel fort. Er machte sich dort zu schaffen, wie eine Bühnenzofe auf dem Theater: er bürstete sich und legte einen Kamm von der rechten auf die linke Seite des Tischchens; er schnitt sich die Nägel und trocknete sich ausführlich hinter den Ohren, er sah sich prüfend von der Seite an, von vorn und auch sonst … ein schiefer Blick über die Straße: die Frau, die Dame, das Mädchen – sie stand noch immer da.

Der Mann, im Vollgefühl seiner maskulinen Siegerkraft, bewegte sich wie ein Gladiator im Zimmer, er tat so, als sei das Fenster nicht vorhanden, er ignorierte scheinbar ein Publikum, für das er alles tat, was er tat: er schlug ein Rad, und sein ganzer Körper machte fast hörbar Kikeriki!, dann zog er sich, mit leisem Bedauern, an.

Nun war da ein manierlich bekleideter Herr, – die Person stand noch immer da –, er zog die Gardine zurück und öffnete mit leicht vertraulichem Lächeln das Fenster. Und sah hinüber.

Die Frau war gar keine Frau.

Die Frau, vor der er eine halbe Stunde lang seine männliche Nacktheit produziert hatte, war – ein Holzgestell mit einem Mantel darüber, eine Zimmerpalme und ein dunkler Stuhl. So wie man im nächtlichen Wald aus Laubwerk und Ästen Gesichter komponiert, so hatte er eine Zuschauerin gesehen, wo nichts gewesen war als Holz, Stoff und eine Zimmerpalme.

Leicht begossen schloss der Herr Mann das Fenster. Frauen sind eitel. Männer –? Männer sind es nie.

Traum.

Ich bin bei einem Zauberer
im Garten zu Besuch.
Da steht eine Bank
ganz aus Crimsonrosen.
Bitte!,
fordert er mich auf zum Sitzen.
Ich tue als ob.
Er setzt sich ohne Miene zu verziehen.
Meine Scheinstellung ist nachgerade peinlich.
Vis-à-vis steht am Fenster
des Zauberers Tochter,
ich lächle verlegen zu ihr hinauf.
Entrüstet schlägt sie das Fenster zu,
beobachtet mich aber
desto ungenierter hinter Gardinen.

Im Traum kehren oft
Momente des Lebens wieder,
die uns überraschten
und auf Augenblicke
hilflos machten.
Meist sind es Kleinigkeiten.
Große Eindrücke,
bei denen man sich beherrscht hat,
bleiben fern.

Hinter der Fliegenschnur

Sie hatte keinen Namen, und dennoch war die kleine Kneipe in dem grellen, todmatten, Staub gepuderten Nest sozusagen der Inbegriff aller Kneipen, großartige, absolute Kneipe, Urkneipe gewissermaßen, und das aus zwei Gründen: Erstens war das Tageslicht aus ihr verbannt, und zweitens hatte man ein schlechtes Gewissen, wenn man ohne reinzuschauen an ihr vorüberging. Man war einfach gezwungen reinzuschauen, eine rätselhafte Aufforderung ging von ihr aus, eine fast biblische Verpflichtung: Wer sein Gewissen nicht belasten wollte, der schaute rein.

Zu einer guten Kneipe gehört aber auch ein Wirt; dieser hieß Don Rafael: barfuß, hinkend und mild – so residierte er auf einer Fußleiste hinter der Theke, ein Vater der Verzweifelten, ein Trostspender in geflickter Hose. Wer hier hereinfiel, hatte nur einen Wunsch: zu bleiben.

Und auch ich kam und blieb; morgens um sechs ging ich an der absoluten Kneipe vorbei, es war ein klarer, kalter Morgen, – trotzdem forderte die Kneipe ihren Tribut. Vorsichtig teilte ich die fettige Fliegenschnur, steckte den Kopf durch und versuchte, mich an die Dunkelheit zu gewöhnen. Kahle, getünchte Wände, drei Tische und Rundbänke, fleckiger Steinfußboden: Mehr konnte ich zunächst nicht entdecken. Ich trat ein, ging zögernd zu einem Ecktisch; auf ihm stand noch eine Copita von der letzten Nacht, ein spitzes, halbgefülltes Trinkglas: Honigfarben leuchtete der Wein auf seinem Grund. Ich schob die Copita zur Seite und klatschte in die Hände, und jetzt hob sich überraschend von der Rundbank her ein Kopf über den Tisch, ein unrasiertes Gesicht: wie eine ungeheure Blume, so wuchs das Gesicht hervor; zähes Barthaar, feuchte Lippen, leuchtende Augen kamen zum Vorschein, und gespannt sah ich zu, wie das Gesicht weiter hinaufwuchs, ein schuppiger Hals tauchte über der Tischkante auf, die Schulter, ein magerer Oberkörper in schwarzem Hemd, und dann schraubten sich zwei alte, rissige Hände auf den Tisch, die einen langen Stecken hielten: Der heilige Elias war erwacht. Er steckte sich eine schwarze Zigarette in den Mund, nahm einen Zug, und jetzt wurde er von einem Husten geschüttelt, wie man ihn selten zu hören bekommt; ein Husten von einer Heftigkeit, einer rasselnden Stärke und so eindrucksvoller Dauer, dass er unstreitig literarische Qualität hatte: Elias mit dem literarischen Husten.

Die Fliegenschnur flog zur Seite, und vier Männer kamen in die Kneipe; barfuß, mit schwarzer

Leibbinde und Ballonmütze, tappten sie über den Steinfußboden zur Theke und warteten. Und jetzt erschien Don Rafael, hinkte in kragenlosem Hemd auf sie zu, begrüßte die Männer mit Handschlag und schob jedem eine Copita hin mit honigfarbenem Wein. Die Männer setzten hoch an, ein dünner Strahl zischte mit leichtem Gurgeln in ihre Münder; den Kopf weit zurückgelegt, die Augen geschlossen, hingegeben dem frühen Labsal – so zischten und kauten sie einen halben Liter herunter. „Frühstück", sagte der Mann mit dem literarischen Husten, „das ist ihr Frühstück. Jetzt gehen sie zum Arbeiten aufs Land." Die Landarbeiter wischten sich mit dem Handrücken den Mund ab, sie seufzten unter der Wohltat des Weins, der nüchterne Magen stieß auf, und mit einem Schlag auf die Schulter verabschiedeten sie sich von Rafael, nickten auch uns zu und gingen hinaus zu ihrem Esel bespannten, großrädrigen Karren.

Don Rafael hinkte heran, stellte mir eine Copita hin, einen kleinen Laib knirschenden Ziegenkäse und drei Oliven: – Er hatte nur vier Stunden geschlafen. Halb träumend noch brach er mit seiner imponierenden dunklen Hand den Ziegenkäse für mich kaputt, schob mir das Tellerchen zu; die imponierende dunkle Hand glitt in die Tasche der geflickten Hose, zog ein Stuck Trockenfisch heraus, riss und faserte ein paar Streifen für mich ab und legte sie zum Käse: – bueno apetito, nickte er. Und die Hand, die den Käse zerbröckelt, den Trockenfisch zerfasert hatte, legte sich mir kurz, in träumerischer Zärtlichkeit, auf den Kopf, während ich anfing, unter ihrem kühlen Druck und den freundlichen Blicken des hustenden Elias zu essen.

Ein neuer Gast kam in die Kneipe. Er war barfuß, balancierte einen Korb auf dem Kopf; grußlos, mit sinnendem, traurigem Gesicht ging er an uns vorbei, stellte den Korb auf den Nebentisch und setzte sich. In dem Bastkorb lagen Brot und Muscheln; grau sahen die Muscheln aus, fahl und bröcklig, sie waren bereits unter einem Dampfstrahl gar gemacht. Mit traurigem Gesicht starrte der Mann auf seine Muscheln, wartete, bis Don Rafael ihm eine Copita Wein brachte, und dann begann er zu essen.

Seine Traurigkeit musste alt sein, seit Jahren auf seinem Gesicht gelegen haben – welchem Umstand mochte sie gelten, wo ihren Ausgangspunkt haben? Ich versuchte es mir vorzustellen: einen Trauerfall in der Familie, ein berufliches Missgeschick – oder galt seine grüblerische Traurigkeit einem nationalen Unglück? Ja, sorgfältig wird die Trauer in Spanien gehandhabt, und lang ist das Gedächtnis für alles, wovon der Einzelne, wovon aber auch die Nation, betroffen wird. Und war das unvergessliche Unglück der Geschichte nicht der Untergang der Armada? Oh, man hatte mir schon einmal gesagt, dass man den Engländern nicht das Schicksal verzeihen konnte, das sie der Armada gegeben hatten – dachte der Alte mit den Muscheln daran? Seine gesammelte, seine alte Traurigkeit schien „ja“ zu sagen, und ich nannte ihn: den Mann, der das Schicksal der Armada nicht vergessen konnte.

„Acht Uhr“, sagte Elias leise – er hatte gerade etwas Luft zwischen zwei faszinierenden Hustenanfallen – „wenn Miguel kommt, ist es acht.“ Miguel hob den Kopf, fing den Blick auf, den ich auf seine Muscheln warf, und dann fragte er traurig: „Wollen Sie mitessen? Bitte, essen Sie mit. Sie würden mir eine Freude machen. Probieren Sie mal; ich hab sie heute Nacht gefischt.“ Die Traurigkeit seiner Einladung ließ keine Möglichkeit der Wahl zu, er häufte einen Berg von Muscheln vor mir auf, versonnen und ohne Eile – nie hab ich so köstliche Muscheln gegessen.

Plötzlich sahen wir uns an, hinter einem Vorhang gurgelte, prustete, klatschte es, wohliges Stöhnen drang zu uns, Seufzer der Zufriedenheit, und dann wieder Planschen, Prusten und Ächzen: Wir lauschten angestrengt. Auch die beiden kleinen Mädchen lauschten, die sanft durch die Fliegenschnur geschlüpft waren, große Flaschen im Arm,

Wein für die Vater holend – gewissenhaft lauschten wir der genießerischen Morgenwäsche von Don Rafael. Und nach einer Weile trat er heraus: scharf gekämmt, sauber, Spuren von Seife noch am Ohr: Lächelnd hinkte er auf die Fußleiste hinter der Theke, lächelnd und vehement schenkte er ein: Jedes Glas, das er füllte, jede Copita lief über.

Nie wäre es Don Rafael in den Sinn gekommen, Korbflasche oder Pulle berechnend abzufangen. Er füllte den kleinen Mädchen ihre Flaschen, er küsste sie, kniff sie liebevoll in den Arm; dann füllte er ungefragt unsere Gläser. Kinder kamen herein, Frauen mit Säuglingen, ein Invalide und der Besitzer der Kneipe von nebenan tauchten auf: Häuslich ließen sie sich nieder. Und dann erschien ein jüngerer Mann, der alle Blicke auf sich zog; eine träumerische Verwegenheit spiegelte sich in seinem Gesicht, etwas von der begnadeten Ahnungslosigkeit Don Quijotes: Prüfend hielt er nach einer Windmühle Ausschau, die er annehmen konnte. Die Windmühle war ich, und er legte sozusagen die Lanze des Gesprächs ein und sprengte an unseren Tisch, auf dem die matt blinkenden Weinpfützen von Don Rafaels Großherzigkeit zeugten. In schönem Draufgängertum fragte der Ritter: „Inglés? Sind Sie Engländer? Oh, wir bewundern die Engländer, eine reiche Nation, sie beherrschen die Märkte.“

Ich blickte schnell auf den Mann, der das Schicksal der Armada nicht vergessen konnte, und ich sagte: „Nein, aleman, Deutscher."

„Oh", sagte der Ritter, „das macht nichts. Wir bewundern auch die Deutschen, eine reiche Nation, auch sie beherrschen die Märkte. Außerdem war Rommel ein Deutscher – Rommel."

Und mit aufgeworfenen Lippen wiederholte und ergänzte er: „Rom-mel und Wolgs-wagen."

Der junge Ritter war Volksschullehrer; bald hockten wir in offenem Gespräch zusammen. Er erzählte vom dunkleren Sinn der spanischen Geschichtsbücher: In den Büchern allerdings war der Fluchtpunkt der Geschichte bezeichnet, er hieß: General Francisco Franco. Er wollte wissen, ob der Fluchtpunkt unserer Geschichte Rommel hieß oder „Wolgswagen": Gottlob brauchte ich mich nicht zu entscheiden, denn nun schob sich die ganze Besatzung eines Fischkutters durch die Fliegenschnur, beladen mit Muschelkörben, mit Weißbrot und einem riesigen Topf, in dem Tomaten, Reis, Fische, Krebse und ein unergründliches Gemüse zusammengekocht waren.

Die Gesellschaft nahm an unserem Tisch Platz, der riesige Topf wurde in die Mitte gesetzt, vergnügt ließ Don Rafael die Copitas voll- und überlaufen, und dann wurde gegessen, und alle, die in der Kneipe saßen, aßen mit. Alle Augen leuchteten, es kaute und schluckte, sternförmig zogen sich rote Tomatenkleckse vom Topf zu den Tischecken. Der riesige Topf wurde nicht leer, und es kamen wieder neue Männer in die Kneipe, Fischaufkäufer, die jeden Tag mit ihren hausgemachten Lastautos herübergerumpelt kamen, um die Beute der Nacht in die Stadt zu fahren. Sie wurden an unsern Tisch gelotst, kein Mensch konnte mehr erklären, auf welche Weise sie alle Platz fanden, und sie stemmten sich auf die Tischplatte und tunkten Brotkanten in den riesigen Topf.

Die Zeit ging dahin, einige Leute gingen, andere kamen. Es wurde Mittag und Nachmittag. Don Rafael schenkte Kaffee ein, Bier und Wein, Brause für die Kinder, mit freundlicher Geschäftigkeit hinkte er zwischen Theke und Tischen hin und her.

Der alte Elias bekam wahrend des Trinkens, als der honigfarbene Weinstrahl zwischen seine rissigen Lippen zischte, einen unerhörten Hustenanfall; traurig brütete der Mann vor sich hin, der das Schicksal der Armada nicht vergessen konnte; der Kneipenwirt von nebenan, Fischer und Fischhändler, Frauen und Kinder – sie alle trugen bei zur Familiarität der Kneipe.

Draußen existierte kein Tag mehr, die Welt hatte nur Erinnerungswert.

In diese Geborgenheit zwängte sich in der Dämmerstunde auch ein singender Schafhirt herein; einen wettertrüben, steinalten Schlapphut auf dem Kopf, einen Beutel auf dem Rücken, die Ledertasche an der Seite – so kam er herein: Und er trug in einer Hand einen Stecken, und mit der anderen drückte er ein zitterndes, schneeweißes Lamm an seine Brust. Das Lamm war unterwegs am Wegrand geboren; singend trug es der Hirte herein, singend stapfte er zur Theke, singend verlangte er Schnaps. Hinter ihm schaute die Mutter des Lamms durch die Fliegenschnur, aber nur einen Augenblick, sie schien zufrieden sein. Der Hirt kippte rasch hintereinander zwei Gläser herunter, schluckte; dann erhob sich wieder sein Gesang, leise und inbrünstig über die liebreizende Unschuld des Lammes hinweg singend, ging er zum Ausgang. Sein Gesang brauchte nicht zu sterben, denn als er sich entfernte, nahm einer am Tisch die Melodie auf, ein schöner, athletischer Fischer: Hingegeben dem ehrwürdigen Zauber der Musik, sang er den hustenden Elias an, und in den Augen des Alten erschien ein junger Glanz. Und als das Lied zu Ende war, sang ein anderer, er sang vom Heimweh des Herzens, und das Lachen und die Gespräche verstummten.

Alle hörten zu. Und dann, auf einmal, war ein Ton in der Luft, ein heißer Ton, kurz und herausfordernd; der Ton war so überraschend da, dass wir alle den Kopf hoben. Den Ton hatte eine Frau hervorgestoßen, eine magere, barfüßige, schiefköpfige Frau mit strähnigem Haar. Sie hielt eine leere Copita in der hoch erhobenen Hand, ihr magerer Körper war gespannt, ihre Beine leicht nach vorn gespreizt, und in den Augen lag eine lechzende Erwartung. Und plötzlich erklang, leise zunächst und dann immer stärker, ein klarer und scharfer Rhythmus, er erklang am Nebentisch, und der, der den Rhythmus mit Fingern und Handballen hervorrief, war der Mann, der das Schicksal der Armada nicht vergessen konnte: Mit erhobenem Kopf, die Lippen aufeinandergepresst, hämmerte er auf die Tischplatte; der magere Körper der Frau begann zu zittern, bewegte sich knapp und wiegend, und überraschend erlöste er sich selbst aus seiner Spannung: Die Frau tanzte. Und der Tanz verwandelte sie völlig, das strähnige Haar, ihr magerer Körper, das graue Kittelkleid: Alles verschwand, und was blieb, das war federleichte Grazie, der anmutige Zorn eines Stampfschrittes und der mit Abwehr wechselnde Lockruf der Fingerbewegung. Sie tanzte wunderbar, sie tanzte mit äußerster Konzentration; die Frau schien zu wissen, dass sie vor dem verständigsten Publikum der Welt tanzte. Jeder Schritt wurde begutachtet, jede Bewegung erhielt eine Zensur.

Aber dann war ihr Tanz zu Ende, sie bekam ihren Beifall und eine Copita honigfarbenen Weins, und jetzt traten andere Tänzer auf. Jetzt tanzten Fischer, tanzten Straßenarbeiter und der Kneipwirt von nebenan, Frauen tanzten und blasse Kinder. Niemand kann all die Tänze behalten, die sie tanzten: Tänze des Glücks, Tänze der Werbung und der Schwermut, Jubeltänze und Tänze der Nacht. Sie tanzten ohne Unterbrechung. Es wurde heiß in der Kneipe und stickig, der Atem ging schwer, und unbemerkt zwängte ich mich an Zuschauern und Tanzenden vorbei zur Fliegenschnur am Ausgang. Ich stieß die Hand durch die schlappen, fettigen Schnüre und steckte den Kopf hinaus: Draußen war Nacht, kalt und ruhig, und von einem fernen Leuchtturm kreiste gleichmütig ein Lichtstrahl über das Land, drehte hinaus auf die See, verschwand und kehrte nach einem Augenblick wieder. Und in diesem Augenblick schien es mir, als habe der Lichtstrahl sein gleichmütiges Kreisen unterbrochen; für eine Sekunde, einen Herzschlag lang schien der Lichtstrahl stillzustehen über der namenlosen Kneipe, der absoluten Höhle des Labsals: Es war, als zeigte er einen besonderen Weg.

Oft spielen wir

Ihrer Inbrunst fliegt ein Lächeln an, und dann ist sie, der kaltheiße gotische Engel, eine hübsche Frau in ihrem Boudoir, die, ein wenig überlegen, weiß, dass sie Freude gibt. Mitten in der Unterhaltung neigt sie liebevoller das Gesicht, ihre Stimme bekommt einen helleren Klang, sie bewegt ihre Fußspitzen. Das alles ist kaum merkbar und sehr wohlerzogen, und doch hat sich die Welt vor ihr geöffnet, hat sich mit aufleuchtenden Türen weit aufgetan wie jene großen Ankleidespiegel. Sie ist froh, weil sie froh macht, und ruft Erde und Himmel zu Zeugen. Himmel und Erde – in sich.

So schön macht Übermut!

Oft spielen wir, und wenn wir müde sind oder die Arbeit ruft, denke ich bis in den Schlaf, bis mitten ins neue Gewühl, wo ich nichts mehr weiß von mir: Sprang nicht auch Achill vom Pferd, warf die blutbespritzten Waffen, die staubigen Kleider ab und beugte sich über das Wasser, das da vorbeifloss? Und suchte in den Kampf verzerrten Zügen nach einem Lächeln, an das er sich zu erinnern glaubte, so, als ob es einmal auf seinem erhitzten Gesicht gelegen habe: Maske aus Meerkühle und Kräuterruch … und über der betäubten Stirn sich federleise gerührt:

ein Helm aus Wind und Sonne? Und sah es frohlockend heraufsteigen! Denke: Scheeler Schuster an der Straßenecke, böser, wilder Kerl, der mich hasst, weil ich keine Stiefel sohle, weißt du – ja, du weißt, feurigster Narziss, wie du strahlst, wenn unsere Köchin dir zunickt. Ich ging einmal zwanzig Schritte hinter ihr. Als ich an deinem Fenster vorbeikam, schwangst du den Hammer: Siegfried! Ja, du riefst mir freudig „Guten Tag" zu.

Und unsere Enten wissen davon, wenn sie sich, eben noch ernst und verdrossen, heraldisch bäumen und die Flügel spreizen und sich, hochgereckt, über den ganzen schwellenden Körper schütteln, als wollten sie jetzt senkrecht in den Himmel fliegen ... dann plötzlich, mit einem großen Schwung tauchend, einander unter dem Wasser jagen und so einige Minuten wie irrsinnig herumrasen!

Der Dackel des Nachbarn im schaukelnden Boot, der sonst nie müde wird, sie mit drohenden Sprüngen zu erschrecken und anzubellen, verwandelt sich in die lustige Galionsfigur, die in reglosem Staunen dem rasselnden Turnier zusieht.

Beate lässt die Angel fallen und stürzt zur Mutter: „Die Enten tun sich was!" Und hoch, hoch über mir, eine Glaskugel auf der Spitze eines himmelblauen Springbrunnens, gaukelt eine Lerche: schlägt, ich weiß, ein übermütig tolles Herz.

Ernst und Willy zanken sich. Beate steht über ihnen auf der Treppe, in weißem Kleid, ein blaues Band im offenen Haar.

„Ihr seid hässlich", ruft sie, „alle beide. Macht, dass ihr fortkommt."

Die beiden Jungen halten ein und blicken verlegen zu ihr hinauf. „Ja, macht, dass ihr fortkommt", wiederholt sie. Welche Kraft in ihren dunkelblauen Augen!

Willy hebt den Arm und zeigt auf Ernst: „Er!", schreit er, da wird er blutrot und wirft sich mit gesenktem Kopf auf den andern. Sie stürzen zu Boden und rollen in erbittertem Ringen über den Gartenweg, dann über die Astern, in den Kohl, wo sie fast verschwinden. Man sieht nur ihre strampelnden Beine, mit denen sie jetzt den Kampf auszufechten scheinen. Sie suchen einander in der Luft, umklammern, drücken nieder.

Die Jungen sind gleichaltrig, aber Ernst überragt seinen Freund um Kopfeslänge, er turnt, und das Fußballspiel hat ihn daran gewöhnt, den Gegner im ersten Anlauf niederzurennen.

Beate steht auf der Treppe, die Augen weit geöffnet. Sie hat den Kopf zurückgeworfen, als ob sie den beiden etwas sehr laut zurufen wollte. Ihre Mundwinkel zucken, und sie scheint fast erwachsen in dieser leidenschaftlichen Frauenpose.

Willy ist aufgesprungen, zwei Schritt von Ernst zurück, der sich nun ebenfalls aufrichtet. Zitternd, die Stirn voll Schweiß, steht der Kleine mit geballten Händen und atmet schwer. Ein zarter David, der sich mit dem schwarzen Goliath halb totgerungen hat.

„Beate!“, ruft er, „Ernst ist ein Feigling. Er hat gebissen!“

„Ja“, antwortet Beate, ohne ihre Stellung zu ändern. „Er ist ein Feigling. Er weiß, dass er stärker ist als du.“

Langsam dreht Ernst sich nach ihr um und sagt gleichmütig: „Ich habe ihn gebissen, weil er mir die Kehle zudrückte – immer legt er sich um die Kehle, wie eine Schlange, und zieht sich zusammen. Dann beiß‘ ich.“

Und er kommt auf Beate zu, mit reuevollen Augen und einem verschämten Feixen, das ebenfalls um Verzeihung bittet – und der gewissen Sicherheit des anerkannten Bräutigams. Wie er die langen Arme nach ihr ausstreckt, tritt sie leise zur Seite und ist blitzschnell an ihm vorüber, bei Willy. Der greift sie am Handgelenk und zieht sie mit sich fort.

Ernst, der nicht begreift, was hier vorgeht, sieht ihnen nach, wie sie in kleinen Sprüngen nach dem Wasser eilen. Im Laufen wendet Beate sich, ihre Haare fliegen, und ruft: „Ich liebe Willy!“ Aber als

Willy ihre Hand hebt und an seinen Mund drückt, entreißt Beate sie ihm, und indem sie stehen bleibt:

„Was fällt dir ein! Habe ich dir erlaubt – ?" Willy wird wieder blutrot und blinzelt an Beate vorbei nach Ernst, der richtig eine krampfhaft laute Lache anschlägt. „Hast du nicht gesagt ...", stottert er und greift hastig, zwischen Furcht und Zorn, nach ihrem Handgelenk. Ernst nähert sich mit einem Gesicht, als hielte er nur mühsam das Lachen zurück.

„Du ...", sagt Beate unterwürfig und streichelt Willy die Hand. „Wir spielen ja bloß."

Dann reicht sie die andere Hand Ernst und zieht die beiden nach dem Boot. Sie ist sehr hübsch, wie sie mit einem Ruck das Haar herumwirft und Willy ihr lächelndes Gesicht hinhält: „Du darfst dich zu mir ans Steuer setzen, und Ernst rudert." Das Haar fliegt nach der andern Seite: „N'est-ce pas, mon ami?"

Ernst nickt wie ein Mann, der seiner Sache sicher ist.

Sie fahren schweigend in den See hinaus. Bis Beate anfängt, laut „eins ... zwei ..." zu zählen, weil Ernst dann besser rudert.

Der Lindenbaum

Vor längerer Zeit hielt ich mich einige Jahre hindurch in einer kleinen Stadt auf und war dort an einen alten Herrn empfohlen, der ein Studiengenosse meines Vaters gewesen war. In dem Hause dieses Mannes ging ich aus und ein und genoss dort viel Freundlichkeit. Herr Doktor Lindow war ein stattlicher und jovialer Sechziger und ein großer Natur- und Gartenfreund, der herrliche Blumen und köstliches Obst zog, und sein Garten, der sich in glücklicher südlicher Lage in Terrassen zu einem kleinen See hinabsenkte, war im Sommer und Herbst ein wahres Füllhorn köstlicher Dinge. Als ein Wunder erschien es mir immer, was durch kluge Ausnutzung des Raumes aus einem verhältnismäßig kleinen Fleck Erde alles erzeugt werden kann. Am Ende des Gartens befand sich auf einer kleinen Erhöhung eine mächtige Lindenlaube, die auf den stillen, von Schilf und Weiden umkränzten See sich öffnete, und dort saß ich eines schönen Abends im August in heiterem Gespräche mit dem alten Herrn, der an jenem Tage besonders aufgeräumt war. Vor uns auf dem Tische stand eine mächtige Schale mit köstlichen Pfirsichen, Reineclauden und Aprikosen, in den Gläsern schimmerte eine vorzügliche Sorte von Rheinwein, und ringsum ertönte in den stillen Abend hinein das fröhliche Getöse spielender Kinder, der Enkel und Enkelinnen meines Gastfreundes. Unter diesen war ein zwölfjähriger Junge, der sich durch große körperliche Gewandtheit auszeichnete. Plötzlich hörten wir dessen Stimme aus dem Wipfel eines Baumes, der seine Zweige waagerecht nach dem Ufer des Sees hinausstreckte. „Großvater!", rief der Junge, „nun passe mal auf, wie ich es jetzt schon gut kann!"

Damit war er auf einen der waagerechten Zweige hinausgerutscht und hing plötzlich an den Knien daran, mit dem Kopfe nach unten. Zu meinem Schreck ließ er sich dann los, griff aber geschickt in das Laub des unteren Zweiges, dass sein Körper sich wendete und der Kopf wieder nach oben kam, und so von Ast zu Ast rutschend und stürzend, gelangte er, indem er rechtzeitig seinen Fall durch wiederholtes Eingreifen in die Zweige milderte, glücklich unten an.

„Gut, mein Sohn", rief Herr Lindow, „kannst mal herkommen!" Nachdem er den Knaben für seine Leistung reichlich mit Obst belohnt hatte, wandte er sich zu mir und sagte: „Eine alte Familienkunst, die ich schon von meinem Vater gelernt habe und die hoch in Ehren gehalten wird, seitdem sie mir einmal einen so großen Dienst geleistet hat."

„Welcher Art war dieser Dienst?“, fragte ich etwas verwundert.

Der Doktor lehnte sich in seinen Gartenstuhl zurück und sah sinnend vor sich hin, wie einer, der sich eine Geschichte im Geist zurechtlegt, und sagte dann: „Sie wissen doch, dass ich als Student zu zehnjähriger Festungshaft verurteilt worden bin?“

„Ja gewiss!“, antwortete ich, „damals, als auch Fritz Reuter zu dieser Strafe verdammt wurde, und aus denselben Gründen.“

„Gewiss“, fuhr Lindow fort, „allein ich hatte es in einer Hinsicht besser als Reuter, da ich meine Zeit in der einzigen kleinen Festung meines engeren Vaterlandes absitzen durfte, wo ich es verhältnismäßig gut hatte. Diese war nun eigentlich gar keine Festung mehr, denn die Außenwerke hatte man längst geschleift, und nur ein auf einem steilen Felsen gelegenes Kastell war übrig geblieben, das zu Gefängniszwecken diente. Dort hatte ich ein ganz wohnliches Zimmer, allerdings mit schwerer, Eisen beschlagener Tür und einem tief in die dicke Mauer eingeschnittenen, stark vergitterten Fenster. Ich war der einzige Festungsgefangene dort, denn mehr dergleichen politische Verbrecher hatte das kleine Fürstentum nicht hervorgebracht, und man ließ mir am Tage ziemlich viel Freiheit, nachts allerdings wurde ich sorglich eingeschlossen. Wohin sollte ich auch entkommen, da dieser Felsen an drei Seiten wohl an die hundert Fuß steil abfiel, während er an der vierten, wo der gewundene Weg hinaufführte, durch Mauern und mächtige Thore mit Schildwachen davor genügend versperrt war. – Über Mangel an Aussicht konnte ich mich an diesem Orte nicht beklagen, denn der Felsen war ein letzter Ausläufer des am Horizonte dämmernden Gebirges und lag als einzige wesentliche Erhöhung in einer sanft gewellten Ebene. Aber nichts ist wohl geeigneter, die Sehnsucht nach der Freiheit zu verschärfen, als ihr steter ungehinderter Anblick. Zum körperlichen Schmerze fast wurde diese Sehnsucht, wenn an schönen Sommersonntagen die Menschen aus dem Städtchen wie aus einem Ameisenhaufen auf allen Wegen herauskribbelten in die freie Natur, wenn aus der Straße nach dem blau dämmernden Gebirge zu die Wagen rollten und leichtfüßige Wanderer munter dahinschritten, wenn aus den Gasthäusern vor dem Thore die Fahnen wehten, während farbige Mädchenkleider und helle Strohhüte aus dem Grün hervorschimmerten, und bald von hier, bald von dort ein dumpfes Paukenschlagen oder ein anderes musikalisches Getöse oder ein unablässiges Rollen von Kegelkugeln zu mir hinausschallte. Dann kamen wohl auch leicht geflügelte Schmetterlinge aus der Tiefe flatternd emporgetaucht, glätteten ihre Flügel ein wenig auf dem durchsonnten Rasen des Walles und taumelten dann sorglos weiter in die Freiheit. Die Schwalben, die sich um das alte Gemäuer des Kastells jagten, schossen dicht über mich hin und riefen wie zum Hohne: ‚Komm mit, komm mit', und als dies alles wieder einmal an einem Sommersonntag geschah, ward es mir zu viel und ich begab mich auf die andere Seite, wo mir der Anblick auf die Stadt und das fröhliche Getümmel um sie her entzogen war. Hier wurde die eine Wand des Felsens vom Flusse bespült, und hinter diesem dehnte sich eine weite Heidefläche aus. Zu meinen Füßen aber in den Winkel, den der herannahende Fluss mit dem Felsen machte, lief ein großer Garten aus, der zu dem Landhause eines wohlhabenden Fabrikanten gehörte. Wie eine Karte lag er mit seinen sauberen Steigen, Rasenflächen und Gebüschgruppen unter mir, aber auch so öde wie eine Landkarte war er meist, denn außer einem alten Gärtner, der sich dort zu tun machte, und seiner ebenso alten Frau hatte ich dort noch niemals einen Menschen gesehen. – Als ich dort nun saß, meine Beine über den Rand des Felsens baumeln ließ und abwechselnd in die saubere grüne Einsamkeit zu meinen Füßen und dann über den Fluss hinweg auf die eintönige Heide schaute, da überkam mich mit einem Mal ein Gedanke, der mein Gehirn mit einem solchen Rausche erfüllte, dass ich mich zurücklehnte und meine Hände in das Gras klammerte in der Furcht, von einem Schwindel ergriffen, plötzlich hinabzustürzen. In dem letzten Winkel des Gartens stand nämlich ein uralter Lindenbaum, so nahe am Felsen, dass seine Zweige ihn fast berührten. Seine ungeheure grüne Kuppel war gerade unter mir, die Entfernung konnte nicht mehr als etwa zwanzig Fuß betragen. Dass mir das sonst noch nie so aufgefallen war! Wenn ich dort hineinsprang, war ich ja so gut wie unten. Es hatte auch gar keine Gefahr, denn die dicht belaubten, elastischen Zweige würden mich sanft aufnehmen und den Sturz mildern, und dann: Wie oft hatte ich mich nicht als Knabe so von Zweig zu Zweig absichtlich aus Bäumen fallen lassen. Das war eine Kunst, die gefährlicher aussah, als sie war, und mir schon oftmals den Beifall erstaunter Zuschauer eingebracht hatte. Wenn ich das hier ausführte, konnte ich ja in ein paar Sekunden unten sein. Und dann war ich frei. – Aber wie lange? Ich war ohne Mittel, denn genügendes Geld bekam ich als Gefangener natürlich nicht in die Hände, und obwohl die Grenze nicht allzu weit entfernt war, so wäre mir doch wohl nur in einem bereitstehenden Wagen mit schnellen Pferden die Flucht gelungen. Auch fehlten mir Legitimationspapiere, und diese waren höchst nötig, um sich an der Grenze auszuweisen. Woher dies alles nehmen? Doch diese Gedanken kamen mir alle erst später bei ruhiger Überlegung; zunächst berauschte mich der Gedanke, wie leicht ich entkommen konnte, wenn ich wollte, so, dass ich in ihm förmlich schwelgte. Im Falle ich dort hinabsprang und mich von Zweig zu Zweig stürzen ließ, war Gefahr nur dann vorhanden, wenn sich zu große Lücken zwischen den Ästen fanden oder diese in bedeutender Höhe vom Boden aufhörten. Ich suchte mir einen anderen Ort auf dem Felsen, legte mich dort auf den Bauch und betrachtete die Linde aus größerer Entfernung von der Seite. Sie war so normal gewachsen, wie dies für einen Musterbaum ihrer Art nur möglich ist, die grüne Kuppel zeigte keinerlei Unterbrechung und die untersten Zweige hingen bis auf den Boden hinab.

Plötzlich ertönten stramme, taktmäßige Tritte und riefen mich aus meinen Gedanken zurück. Der Posten, der in dieser Gegend stand, ward abgelöst, und es erschien mir klug, mich zu zeigen, da man sonst wohl nach mir geforscht hätte. Ich ging schnell hinter den Wällen herum und kam an einer anderen Stelle scheinbar gelangweilt wieder zum Vorschein, setzte mich auf eine alte Kanone und schaute wieder auf die Stadt und das fröhliche Treiben der Landstraßen hin. Im Geiste aber war ich bei meinem alten Lindenbaum. Ich stand am Rande des Felsens und suchte mit dem Fuße nach einem sicheren Absprung. Nun war es so weit. Los! Mich schauderte zwar ein wenig, aber es musste sein. Wie mir das grüne Laubwerk um die Ohren sauste. Ich war gerade richtig gesprungen, der Ast gab mächtig nach, aber er brach nicht. Ich ließ ihn nicht los, bis er sich tief auf den nächsten gebeugt hatte, und dann rauschte und rutschte ich durch die knickenden kleineren Zweige tiefer und tiefer, von einem Aste zum anderen und schnell war ich unten. Jetzt hinab an den Fluss und durch die seichten Sommergewässer an das andere Ufer. Hier das kleine Kieferngehölz verbarg mich einstweilen. Aber ich musste weiter – weiter über freie Räume, wo ich fernhin sichtbar war. Nur immer vorwärts der Grenze zu. Vielleicht bemerkte mich doch niemand. Ein Flüchtling muss Glück haben. Da: ‚Bum!' Was war das? Ein Alarmschuss von der Festung. Nun ging die Hetzjagd an. Ich hatte mich so in diese Gedanken vertieft, dass es mich wie eine Erleichterung überkam, als ich mir plötzlich klarmachte, dass ich noch kein gehetztes Wild sei, sondern ganz gemächlich am Sonntagnachmittag auf einer alten Kanone säße und spintisierte.

Von nun ab ließ mich der Fluchtgedanke nicht mehr los, und so oft ich es nur ohne Aufsehen zu tun vermochte, studierte ich meinen alten Lindenbaum, so dass ich ihn zuletzt fast auswendig konnte. Den verhängnisvollen Sprung habe ich im Geiste so oft gemacht, dass es nicht zu zählen ist. Dabei zermarterte ich mich mit Grübeleien, wie ich mir Geld und alles sonst zur Flucht Nötige verschaffen möchte, verwarf einen Plan nach dem anderen und kam zu keinem Ende damit. Denn alles hing davon ab, dass ich Briefe sicher aus der Festung beförderte, und ich fand niemand, dem ich mich hätte anvertrauen mögen.

Indes war die Zeit der Sommerferien herbeigekommen, und als ich eines Tages wieder in den sonst so verlassenen Garten des Landhauses hinabschaute, bemerkte ich dort eine wundervolle Veränderung. Was mir an weiblichen Wesen aus der Festung zu Gesicht kam, war nicht dazu angetan, mich zu verwöhnen, denn es gehörte zu der Gattung der Regimentsmegären und Scheuerdrachen; deshalb erschien mir wohl das junge, etwa siebzehnjährige Mädchen dort unten wie ein Wunder von Schönheit und lieblicher Bildung, und es überkam mich etwas wie Dankbarkeit gegen den Schöpfer, der solche wohl gerundete Anmut mit leichter Meisterhand in die Welt gestellt hatte. Während das junge Mädchen, langsam alles betrachtend, durch den Garten ging, wurde sie umschwärmt von einem ungefähr vierzehnjährigen Knaben, der mit einem Bogen von Eschenholz leichte Rohrpfeile in die Luft schoss und sich an ihrem hohen Fluge vergnügte. Durch einen Zufall stieg der eine dieser Pfeile bis zu mir empor und fiel neben mir nieder. Dadurch wurde der Knabe meiner gewahr und machte seine Schwester auf mich aufmerksam. Ich nahm meinen Hut ab und warf, indem ich grüßte, den Pfeil wieder hinunter. Mein Schicksal und meine Anwesenheit auf der Festung waren in der ganzen Stadt bekannt, und so mochten diese jungen Leute auch wohl gleich wissen, wen sie vor sich hatten. Denn sie sprachen miteinander und sahen zu mir empor, der Knabe unverhohlen und voll Neugier, das Mädchen flüchtiger, aber, wie es mir schien, mit einem Ausdruck von Mitleid in den schönen Zügen.

Da ich nun fortwährend mit Fluchtgedanken beschäftigt war und alles gleich mit diesen mich ganz beherrschenden Ideen in Verbindung brachte, so fiel es mir gleich auf die Seele, dass ich hier eine Verbindung mit der Außenwelt zu gewinnen vermöchte. Wenn das schöne Mädchen mir vielleicht auch nicht helfen konnte, so würde sie doch gewiss nicht einen armen Gefangenen verraten, der sich vertrauensvoll in ihre Hand gab. Aber ein Zweifel fing sofort an mich zu plagen, ob ich das Mädchen wieder sehen würde. Vielleicht war sie nur zu einem kurzen Besuch in diesem Landhause und kam nie wieder. Aber dennoch arbeitete ich im Geiste schon an einem ausführlichen Briefe, in dem ich meine Lage und alles, was zu meiner Befreiung nötig war, gründlich auseinandersetzte. Als ich gegen Abend wieder in meine Zelle eingeschlossen wurde, schrieb ich alles sorgfältig auf und setzte die Mittagsstunde von zwölf bis ein Uhr zu einer Antwort von ihrer Seite fest. Dann befand sich alles aus der Festung beim Essen und ich war am wenigsten beobachtet, zumal auch die Schildwache in meiner Nähe um diese Zeit sich einer stillen, innerlichen Beschaulichkeit hinzugeben pflegte. Ihre Antwort sollte das Mädchen auf ein Zettelchen schreiben, diesen mit ein wenig Wachs oder Pech an einen Rohrpfeil kleben und durch ihren Bruder zu mir hinaufschießen lassen.

Mit fieberhafter Spannung wartete ich am anderen Tage darauf, dass die Schöne wieder im Garten erschiene, doch vergebens, alles blieb leer. Nur der Knabe tollte eine Weile dort herum und übte sich mit langen, schlanken Gerten, die er als Wurfspieße benutzte. Endlich am Nachmittage sah ich das helle Kleid aus dem Grün leuchten. Das Mädchen ging langsam durch den Garten und verschwand unter dem alten Lindenbaume. Es dauerte eine Ewigkeit, bis sie wieder zum Vorschein kam, nun aber wandelte sie auf dem Steige unter mir hin. Jetzt galt es. Ich räusperte mich, so laut ich konnte, und sobald sie aufblickte, zeigte ich meinen mit einem Steine beschwerten Brief. Als sie verwundert und etwas verwirrt wegsah, warf ich ihn hinab. Er fiel ihr gerade vor die Füße, und ich bemerkte, wie sie erschrak und im ersten Augenblicke weiterging, ohne ihn aufzunehmen. Dann besann sie sich, kehrte um, hob das Papier auf und ging damit unter den Lindenbaum zurück. Nach einer Weile kam sie wieder hervor und schritt, mir den Rücken wendend, langsam auf das Haus zu. Wie im Krampfe zog sich mein Herz zusammen, als sie so, ohne ein Zeichen zu geben, davonging. Doch da, plötzlich stand sie und ließ flüchtig den Blick zu mir heraufgleiten. Dann wendete sie sich wieder ab, nickte dreimal eindringlich mit dem Kopfe und lief eilig auf das Haus zu.

Beinahe hätte ich laut aufgejauchzt, als ich dies bemerkte, und den ganzen Abend hatte ich die größte Not, die außerordentliche Heiterkeit zu unterdrücken, die mich erfüllte.

Am anderen Tage ging alles gut. Der Knabe kam und schoss mit seinen Rohrpfeilen wie zur Übung an dem Felsen in die Höhe. Dann nahm er einen anderen Pfeil, zielte sorgfältig und schoss ihn zu mir empor. Es war zu kurz; ich sah den leichten Boten bis dicht an meine Hand steigen und dann wieder zurücksinken. Das zweite Mal gelang es; ich löste schnell den kleinen, schmalen Zettel ab und warf den Pfeil wieder hinunter.

Sie schrieb: ‚Ich will alles tun, was ich kann. Mein Onkel will mir dabei helfen. Sie dürfen ihm vertrauen, wie auch meinem Bruder Paul, der alles weiß und stolz auf dies Geheimnis ist. Haben Sie guten Mut; in vierzehn Tagen kann alles bereit sein.' Diesen kleinen Zettel drückte ich an meine Lippen, las ihn wohl hundertmal und bewahrte ihn als meinen größten Schatz. Über die nächsten vierzehn Tage will ich kurz hinweggehen. Genug, die Stunde war da, wo alles bereit war, und zwar sollte die Flucht am hellen Mittage stattfinden. Das Glück begünstigte mich in jeder Hinsicht. Am Vormittage stieg ein Gewitter auf; über der Heide stand eine blauschwarze Wolkenwand, in der die Blitze zuckten, und der Donner lauter und lauter rollte. Einige Minuten nach Zwölf stand ich an dem Rande des Felsens und wartete auf den nächsten Donner, der das Geräusch meines Sturzes übertäuben sollte. Da zuckte ein greller Blitz auf: ›Eins, zwei, drei, vier, fünf, sechs, sieben, acht …‹ zählte ich unwillkürlich, und dann knatterte und rollte es mächtig in den Wolken. ›In Gottes Namen!‹, sagte ich innerlich und sprang zu. Wie ich hinuntergekommen bin, weiß ich noch heute nicht. Es donnerte, rauschte und sauste mir um die Ohren, Zweige schlugen mir ins Gesicht, und mit einem Mal hatte ich Boden unter den Füßen. Ich eilte schnell durch Laubengänge, die mich den Blicken verbargen, dem Ausgange zu. Wie oft hatte ich diesen Weg schon im Geiste gemacht! Da, in der Nähe des geöffneten Gartentores stand, von Buschwerk gedeckt, eine helle Gestalt. Sie war es. In überschwellender Dankbarkeit reichte ich ihr beide Hände entgegen, und da Worte unsere Empfindungen nicht ausdrücken konnten, so küssten wir uns, als könne es gar nicht anders sein. Aber sie drängte mich bald von sich. ›Schnell, schnell,‹ rief sie, ›und reisen Sie glücklich!‹ O Wonne und Qual, in der Nussschale eines kurzen Augenblickes vereinigt. Aber ich musste weiter. Auf der Straße sah ich den Knaben Paul, dem ich in einiger Entfernung folgen sollte. Er führte mich zu einem kleinen Gehölz in der Nähe, wo eine Kutsche mit zwei schönen Pferden hielt. Ein ältlicher Mann, der dabeistand, schob mich hinein und rief mir zu: ›Im Wagenkasten ist ein neuer Anzug und was Sie sonst noch brauchen, in der Seitentasche Geld und Papiere. Reisen Sie mit Gott!‹

Ich wollte ihm danken, allein die Pferde zogen an, und fort ging‘s in Sturm und Regen und rollendem Donner, was die Gäule laufen konnten. Nun, ich kam nach allerlei kleinen Abenteuern über die Grenze und weiter und war frei. Frei und doch wieder gefangen, denn den Kuss am Gartenzaun vergaß ich mein Leben lang nicht."

Frau Lindow, die sich schon eine Weile in der Nähe bei einigen Gemüsebeeten beschäftigt hatte, kam jetzt näher und fragte: „Nun, was erzählst du da wieder für eine lange Geschichte?"

„Es ist die Geschichte von dem berühmten Kusse am Gartentor!", antwortete Herr Lindow.

„Ach du!", sagte Frau Lindow, „ja, das kommt davon, wenn man sich mit Verbrechern einlässt."

Mir ging plötzlich ein Licht auf, entzündet an dem schimmernden Glanze der Augen, mit dem die beiden alten Leute einander ansahen.

„Alte", rief der Doktor, „denkst du daran, dass es jetzt gerade vierzig Jahre sind seit jenem verhängnisvollen Kusse? Komm, lass uns anstoßen auf ein glückliches Alter!"

Wir erhoben uns, und die Gläser klangen aneinander. Dann küssten die beiden Alten sich, und ein Abglanz wie von ewiger Jugend verklärte ihre glücklichen Gesichter.

Die zwei Parallelen

Es gingen zwei Parallelen
ins Endlose hinaus,
zwei kerzengerade Seelen
und aus solidem Haus.
Sie wollten sich nicht schneiden
bis an ihr seliges Grab:
Das war nun einmal der beiden
geheimer Stolz und Stab.
Doch als sie zehn Lichtjahre
gewandert neben sich hin,
da wards dem einsamen Paare
nicht irdisch mehr zu Sinn.
Warn sie noch Parallelen?
Sie wusstens selber nicht, –
sie flossen nur wie zwei Seelen
zusammen durch ewiges Licht.
Das ewige Licht durchdrang sie,
da wurden sie eins in ihm;
die Ewigkeit verschlang sie
als wie zwei Seraphim.

Vom Grüßen

Es ist eine schöne Sache, dass Menschen, die sich begegnen, einander begrüßen. Wenn sie einander kennen, soll mit dem Grüßen wohl gesagt sein: Freut mich, dass du auch noch da und wohlauf bist. Wenn sie einander nicht kennen und vielleicht auf einsamem Wege zusammentreffen, so sagt der Gruß: Freut mich überhaupt, dass du da bist; wir sind Lebensgenossen.

Fragt dich aber ein Bekannter: „Wie geht's?“ – so sieh zu, ob er denn wirklich wissen will, wie's dir geht. Hast du ein Leid erfahren oder einen Kummer in der Seele und du sagst ehrlich, wie dir zumute ist, so kann es leicht kommen, dass der Grüßende dich verwundert oder gar verdrossen ansieht; denn er wollte ja eigentlich nicht wissen, wie's dir geht, das ist nur so eine Redensart. Darum ist das Beste, wenn du auf die Frage wie geht's, die Antwort gibst: „Ich danke.“ Damit bist du fertig und hast nicht nötig zu lügen, indem du gut antwortest, wenn es dir in der Tat nicht gut geht. Kannst dich darauf verlassen, der Fragende ist mit der Antwort, „ich danke“, in der Regel vollkommen zufrieden.

Es gibt aber auch wohlgemeinte Grüße. Wenn du am Hause des Hagenmaier vorübergehst und er steht unter der Halbtür und grüßt dich heraus, so darfst du annehmen, er meint's im Ernst; dagegen kannst du dich darauf verlassen, dass der Oberbauer von Windenreuten, wenn du ihm begegnest – zumal wenn er die Stufen vom Wirtshaus heruntersteigt – und du grüßt ihn, stets die Pfeife im Mund hält und denkt: Was will denn der? Der will gewiss was von mir, weil er mich grüßt.

Der schönste von allen Grüßen ist und bleibt immer, wie die Mutter ihr Kindchen grüßt, wenn sie es mit Schlaf geröteten Wangen aus dem Bettchen hebt und sich eben freut, dass es frisch gestärkt wieder auflebt und lacht und gedeiht.

Es gibt eben verschiedene Grüße. Es gibt einen Gruß im Flug, der sehr höflich scheint; der Grüßende macht ein gar freundliches Gesicht, grinst und zeigt seine Zähne; wer weiß, was er wirklich denkt. Aber was tut's? Man kommt nicht weit in der Welt und trägt schwer am Leben, wenn man sich immer vergegenwärtigen will: Was geht in dem anderen vor.

Wie vielerlei Lug und Trug wird in der Welt verbraucht, und das Leben ist doch so kurz; die Station, die zum Aufenthalt gegeben, ist so knapp bemessen.

Da begegnen sich zwei Männer. „Empfehle mich höflichst" – „Gehorsamer Diener" heißt es hin und her, und innerlich lachen sie übereinander, verwünschen vielleicht einander und wünschen sich gegenseitig zum Teufel. Die einfältigste Redensart ist doch „gehorsamer Diener“, denn will der, der „gehorsamer Diener“ sagt, wirklich das sein? Sage nicht, das sind bloße Redensarten; es kann dich niemand zu einer hohlen Redensart zwingen, wenn du nicht willst.

Nun sieh dir einmal den Hochmutsnarren an, der daherstolziert, als ob er eigentlich ganz allein auf der Welt wäre und die anderen gar kein Recht hätten, auch da zu sein; er grüßt nur, indem er mit seinem Augenglas winkt, das ist ihm schon vollständig genug für die Aufdringlichen, die sich anmaßen, auch zu leben. –

Da kommt ein anderer. Ihn hat ein gutmütiger Alter freundlich begrüßt und geht an seinem Stock weiter, der Begrüßte aber macht ein schiefes Maul, wendet sich noch einmal verächtlich zurück: Was tut denn der alte Mann noch auf der Welt, der hätte auch schon lange adje sagen können, und wie kommt der dazu, dich zu grüßen? –

Und wieder ein anderer wird vor einem Bittsteller begrüßt, gar untertänig, und er fühlt sich umso erhabener und lässt sich‘s gefallen, dass ihm der Bittende seinen dringenden Wunsch vorträgt.

Auf Weg und Steg wird man gewahr, in welch närrischer Welt wir leben, wo die Menschen statt einander die kurze Zeit je nach Kräften, und sei es nur mit guten Worten und freundlichen Mienen, das Dasein zu verschönern, aus allerlei Hochmut und Herzenskälte sich dasselbe verderben. Das Beste ist, man kümmert sich nicht drum, man geht nach Herzenslust seines Weges und tut seine Pflicht.

Mut

Wo war dein Mut, Seele, mit dem du hinausgingst ins Leben, mit dem du Taten tun wolltest, und kämpfen, so lange du Atem hattest? Wo war er, als du so kläglich unterlagst? Dein Wille vernichtet, dein Wort zitternd, dein Herz wie ein Schmetterlingsflügel am Fenster! Das war dein Mut, Seele, das war deine Kraft! Du hast diejenigen verlassen, die an dich geglaubt hatten, die sicher waren in deiner Hut, du hast dich vor Menschen gefürchtet, als wären sie Henker und als könnten sie dich in Stücke reißen mit ihren Worten. Du hast dich gefürchtet wie ein Hund! O Seele, wo war dein Heldentum?

Was begibst du dich in Gefahr und Todesnot, wenn du nicht durchfechten kannst bis ans Ende! Es ist schwer vor der Meute nicht Hase zu sein, und nicht fortzurennen, wenn alle dir nachbellen, um sich zu verbergen, und nicht mehr gefunden zu werden. Es ist schwer, fest zu stehen, wenn der Boden wankend wird unter deinen Füßen, und der Abgrund sich auftut und dir entgegengähnt. Du hast viel gewagt, weil du gemeint hast, alles tragen zu können. Du hast einen neuen Gedanken auszusprechen, ja zu verteidigen gewagt. Aber, Seele, wusstest du denn nicht, dass man sein Leben lässt für einen neuen Gedanken? Wusstest du denn nicht, dass die Menschen jedes Mal nur Meute werden, wenn einer unter ihnen nicht mitgeht, wie sie gehen, sich nicht in denselben Pferch sperren lässt, in welchem sie schon so lange geschlummert haben? Hast du das nicht sehr wohl gewusst und tratest du nicht dennoch in die Schranken, und hieltest dem Stier „Gewohnheit“ das rote Tuch hin? Was wunderst du dich, dass er dich auf die Hörner nahm und dich mit Füßen trat? Du musstest in den Staub, Seele, und mit Füßen getreten werden, und große Pein erdulden, aber den Mut verlieren, das durftest du nicht, dazu warst du ein edler Ritter und hast zu große Gedanken verteidigen wollen. Nun lachen die Schranken, nun lachen sie in der Arena, weil sie meinen, sie haben dich gebändigt, und der Stier Alltäglichkeit hat dich ganz zertreten. Du aber, du liegst in Ketten und Banden, du atmest schwer mit der zertretenen Brust, und meinst zu sterben. Ja, willkommen, sehr willkommen wäre dir der Tod, du hast schon mehrmals nach dem Messer gegriffen, das die Kehle durchschneidet, weil du nicht ertragen willst, so darnieder zu liegen. Du hast dich gewunden im Staube wie ein Wurm, Seele, warum hast du denn die Menschen sehen lassen, dass du im Staube liegst? Du hättest dich aufrichten sollen wie der Torero, die Gedärme in die Hand nehmen und hinausgehen mit erhobenem Haupte. Du aber hast die Meute wissen lassen, dass sie stärker war als du, das war deine Mutlosigkeit, Seele! Warum denn zaghaft, wenn du recht getan? Warum denn zittern, da du keine Sünde begangen? Warum denn verzagen, da die Menschen nicht klüger und nicht weiser sind als du, und da sie dich so wenig begreifen können, wie du sie begreifst? Sie sind dir fremd mit ihrer Gewohnheit und Alltäglichkeit: Du bist ihnen fremd mit deinen fernen Gedanken, mit deiner Weitsicht, mit dem Vorauswissen von allerhand Unheil. Cassandra ist noch von jeher verfolgt und verfemt gewesen: Du hast ihnen gesagt, was sie nicht wissen wollten, nun bringen sie dich zum Schweigen, und du wunderst dich? Aber Seele, es wäre ja gar nicht des Kämpfens wert, wenn der Sieg greifbar nahe stünde. Der Sieg ist oftmals nicht mehr deine Sache. Den feiern andre, die nicht in der Schlacht gestanden haben, sie werden mit Ehren und Kränzen bedeckt über deine und noch viele andere Leichen hinweg. Lass dir an deinem Gedanken genügen, an deiner Überzeugung halte fest und nähre dich davon, wenn alles bricht. Dir kam sie nicht von ungefähr, du hast den Gedanken nicht aufgesucht, sondern er suchte dich. Du hast nichts erfunden, sondern es fand dich. Du bist nur der Träger eines neuen Lichts, und da wollen die Leute lieber Finsternis, als die Leuchte dahin, wo sie ihre Schwachheit verborgen hielten. Du aber hast mit kühner Hand aufgedeckt, was moderte, und hast es dem Tage gezeigt. Was Wunder, dass darüber ein Geheul entsteht, und deine Hand lahmgelegt wird? Was Wunder, dass man eilig bedeckt, was kein Licht vertragen kann?

Mut, Seele, aber Mut ist nicht Enthusiasmus, Kampfbegier, sondern das stille Ausharren in Ketten und in Nacht, zertreten und verleumdet, verfolgt und verstoßen, und behandelt wie Schmutz! Mut ist eine so große Kraft, dass du ihrer vielleicht gar nicht wert gewesen bist, und darum hat Sie dich verlassen. Du warst nur dazu bestimmt, das aufzudecken, aber nicht das Neue durchzuführen, das du so deutlich siehst. Wie mancher Moses hat manches Kanaan nur von fern gesehen und hat müssen zufrieden sein, nach einem langen Leben unausgesetzten Kampfes und unbeschreiblicher Mühsal. Verhülle dein Haupt, du warst nicht dazu erlesen, die Menschheit weiter zu führen, als sie gehen konnte. Die Menschheit geht nicht mit Riesenschritten und Siebenmeilenstiefeln, sondern mit Schneckenschritten und oftmals denselben Weg hin und wieder, bis sie sich entschließt voranzuschreiten.

Du weißt nicht, wie oft du auf deinem Wege selbst gezaudert hast und verlangst, dass alle die

Überzeugung teilen, die du auf schweren Pfaden mühselig errungen. Du bist sicher, dass du nicht geirrt hast. Wer gab dir diese Gewissheit? Du hast nicht geirrt, wohlan, so werden deine Wahrheiten allen Menschen Wahrheiten werden, später, dann, wenn sie dich vergessen haben, und deine Gegenwart sie nicht mehr zum Zorne reizt. Du weißt ebensowenig, was die wirkliche Wahrheit ist, wie die andern. Du weißt nicht, warum du deine Überzeugung bis zum Tode verteidigen musst. Du weißt nicht, wozu du ein Werkzeug hast sein sollen, und hast nicht die Kraft zu sagen, dass es einerlei ist, ob du geopfert wirst, wenn nur die Sache, die du verteidigt hast, nach deinem Tode liegt. Du bist immer noch zu persönlich, und das hat dich furchtsam gemacht, Seele. Du hast nicht das Bewusstsein, dass du nur ein Teil von einem Ganzen bist, und dass du an der Stelle, an der du stehst, stehen musst, vielleicht als Wogenbrecher, damit nicht noch größeres Unheil komme, Aber Wogenbrecher zu sein, ist schon genug. Der kann nicht auch noch Reformator sein und Führer und Held, der Wogenbrecher ist. Bescheide dich mit deiner Laufbahn! Es hat schon manch einer verschmachten müssen, der gemeint hat, Armeen führen zu sollen.

Mut ist, immer wieder zu beginnen, sobald nur Atem in die Brust zurückgekehrt ist, auch wenn man dich hat zwingen wollen, abzuschwören und Pater Peccavi zu sagen, wenn du dich keiner Schuld anklagen kannst, und gar keine Reue empfindest. Reue ist überhaupt nur ein Gefühl, das der Menschen halber entsteht, denn vor dir selber in deiner Einsamkeit, was solltest du da wohl bereuen? Robinson hatte nichts zu bereuen, da er keinen schädigen konnte. Du aber fürchtest, geschädigt zu haben, ganz in andrer Weise, als es die Menschen von dir behaupten. Du fürchtest, ins Unglück gestoßen zu haben, die deinem Schutze sich befohlen hatten. Und daher deine Reue.

Du hast keine einsame Insel im Ozean, daher deine Qual. Du möchtest sie finden diese Insel, aber sie halten dich in Banden und lassen dich nicht fort. So finde sie doch in der eignen Brust, jene einsame Insel, wo es kein Weh mehr gibt, und keine Reue, und keine Schmach, wo du nur von Gottes himmlischer Luft umgeben bist. Finde sie, Seele, du hast ja Flügel bekommen, dein Kerker ist dein eigner Schädel, mach dich von deinem Schädel frei und begreife, dass der unendliche Raum dir gehört, dass man dich nicht fangen und nicht knechten kann, und dann wird dein Mut wachsen, wie Simsons Mut in der Kerkerzelle. Dann aber tritt heraus, nicht zur Rache, nicht zum Verderben, sondern mit dem breiten Flügelschlag höherer Geister, mit der errungenen Ruhe, mit dem Verzeihen, das aus weiten Fernen kommt und nicht mehr weiß, wer der Verfolger war. Nimm die Verfolgung als eine Tatsache auf, nicht als eine gewollte Übeltat oder Schmach. Denke, dass sie nicht gewusst, was sie taten. Denke, dass sie dich schon vergessen, als du noch im Elend in Banden gelegen. Mut, Seele! Mut ist Verzeihen, Mut ist großmütig sein, und über seinen eignen Leiden stehen. Mut ist steigen, auch wenn das Steigen unmöglich scheint. Mut ist schweigen, da, wo die andern geredet. Mut ist, sich verleumden lassen ohne ein Wimpernzucken, und darüber hinweggehen, als hätte man es gar nicht gehört. Die Menschen haben viel weniger Gewalt über dich, als sie es meinen, da sie über deine Gedanken keine Macht haben. Die sind dein und bleiben dein, was sie auch sagen und wie sehr sie auch schreien mögen. Im engsten Raume bist du dennoch ein Herrscher, Seele, denn du beherrschst deinen Willen und dein Denken. Das ist genug.

Unterliegen ist da gleichgültig, wo du frei stehst in dir selber. Unterliegen den Menschen wie dem Schicksal, ist keine Schmach. Nur fürchten sollst du dich nicht, und du hast dich gefürchtet, sehr gefürchtet, Seele. Was ist deine Reue, nicht, dass du anders gedacht hast, als die andern, dass du das Gute gesucht, wenn man es dir nicht gestatten wollte, dass du der Wahrheit die Ehre geben wolltest, als man es nicht haben wollte oder für Lüge erklärte, was dir Wahrheit schien. Aber, dass du dich hast fürchten können, das nagt dir am Leben, das macht dich so elend, wo du frei sein könntest in dir.

Manchmal fehlt auch nur der Mut, wehezutun. Du hast Angst gehabt, Leiden zu machen. Aber das musstest du wissen, dass du Leiden machen würdest, und nicht beben, als das Messer in deiner Hand bereits die Wunde berührte. Hätte deine Hand nicht gezuckt, so hättest du vielleicht heilen dürfen. Aber du hast gebebt und nun schreien sie, du seiest ein ungeschickter Arzt. Und da haben sie vielleicht Recht. Denn der geschickte Arzt hätte sich an ihr Schreien nicht gekehrt, sondern hätte fest weiter geschnitten, mitten in das Übel hinein. Du aber wolltest nicht wehetun. Das hättest du vorher überlegen müssen. Entschuldige dich nicht vor dir selber, du hast dich gefürchtet, und du weißt es, und darum hast du so viel Mühe in die Höhe zu kommen, nicht wegen der Menschen, nicht wegen der Gefangenschaft, in der sie dich halten, und die dir nichts anhaben kann, bis du Seele nur frei. Was dich unfrei macht, ist deine eigne Furcht. Und wovor? Besinne dich! Du hast dich vor dem Schicksal nicht gefürchtet, sondern oftmals ihm getrotzt. Du hast dich vor dem Tode nicht gefürchtet, dem du oftmals ins Angesicht gesehen. Du hast dich gefürchtet vor den schlimmen Menschenworten! Warum ließest du sie nicht vorüberbrausen wie Sturm? Der ist auch einmal vorüber, wenn er ausgetobt hat. Aber die schlimmen Worte der Menschen haben dich zittern gemacht. War es der Mühe wert Seele? Du sagst, der Stier hat keinen Verstand, aber seine Hörner zerreißen auch ein Genie, du hast vielleicht damit deinen Beruf erfüllt. Christus ist freiwillig in den Tod gegangen, weil er wohl wusste, dass, wenn er seine Lehre nicht mit seinem Blute besiegelte, sie keinen Glauben finden würde. Nur der Gedanke, für den man leidet bis zum Tode, hat Lebenskraft. Mehr brauchtest du auch nicht, als eines Gedankens Träger sein und für denselben leiden bis zur Kreuzigung. Das wird manche stutzig machen und sie fragen lassen, ob nicht dennoch ein Funke von Wahrheit in dem gewesen, was du mit deinem Blute besiegelt hast, sie wollen an deinem Verstande zweifeln, lass sie zweifeln. Du weißt, dass dein Verstand gesund ist, ist das nicht genug, Seele? Mut, Seele, Mut ist eine große Sache.

Dir ist das Lager verhasst, auf welchem du die schlaflosen Nächte und all das Zittern erduldet halt. Du möchtest den Räumen entfliehen, in denen du geplagt und verfolgt worden bist, und gequält mit der Folter böser Zungen. Kindisch! Du bist doch stärker als ein Eindruck, als ein Lager und ein Raum, Seele, denn du hast weder Raum noch Lager, du schwebst in der Unendlichkeit, und hast dich völlig freiwillig, diensteifrig für eine Zeit in die Hülle des irdischen Körpers begeben, gerade weil du gesehen hast, dass es etwas für die Menschheit zu tun und zu leiden gab. Du hast dirs nicht so unmenschlich schwer gedacht, als du noch frei warst, Seele, als du vergessen hattest, wie es war auf der Erde, im irdischen Gewande verborgen zu sein, in dem keiner dich mehr erkennt als die du bist, Seele; dulde noch eine kleine Weile, du wirst dich wundern, wie herrlich du dich fühlen wirst, wenn du wieder die irdische Hülle abstreifst und lächeln kannst über die Wesen, die dich mit Nadelstichen zum fürchten brachten. Da hattest du dein himmlisches Wesen für einen Augenblick vergessen, sonst hättest du dich nicht fürchten können, sie hatten dir so lange gesagt, du seist irdisch, bis du es ihnen beinahe geglaubt hättest, obgleich du sehr wohl weißt, woher du stammst. Der Hirsch, den die Meute jagt, ist ein edles Tier, von königlichem Geblüt, und die Meute ist dennoch für den Augenblick stärker, nur weil sie zahlreich ist, und weil er sich fürchtet. Würde er sich stellen, so würde die Meute stutzen und sich ihrerseits fürchten. Aber vor dem fliehenden Hirsch fürchtet sich keiner mehr. Erst in der Todesstunde setzt er sich zur Wehr und zeigt seines Geweihes Kraft, wenn es zu spät ist. Könnte er in voller Kraft um sich stoben, sie könnten ihn nicht niederreißen. Aber er kennt seine Kraft nicht, er sieht nur das Ungewohnte, er hört das Gebell, das ihn erschreckt, und eilt von dannen in seine Einsamkeit. Aber die Einsamkeit ist nicht, wenn die Meute sie durchstöbert. Einsamkeit ist nur in der eigenen Brust, in keiner Höhle, in keinem Dorngestrüpp und wäre es auch noch so dicht. Einsamkeit ist die Kraft des Gedankens, der sich über das erbebt, wovor man beben könnte. Einsamkeit ist die Ruhe in sich, das Bewusstsein, dass man nicht aus niederem Stoffe gemacht ist, sondern aus Himmelsherrlichkeit und Himmelskräften und Himmelswahrheit.

Schau, Seele, empor in deine Heimat, nach der du immer ein Sehnen hast, das du nicht erklären kannst, weil du im Leibe dieser Erde, der wirklichen Heimat nicht gedenken sollst, der du gehörst, weil sonst dein Leiden nicht groß und echt genug wäre, um Überzeugung in sich zu tragen und mit sich zu führen.

Du sollst an dir selbst und an deiner Herkunft zweifeln lernen, damit du, in alles Elend eingetaucht, als Held daraus hervorgehen kannst. Das hast du gewollt, bevor du die Erde betratest. Du hast dich stärker gefühlt als irdische Schicksale, weil sie dir in der Höhe klein erschienen und des Verschmachtens nicht wert. Und nun ist dir's dennoch zum Verschmachten, nur, weil du nicht sehen kannst, wie weit du von dem allen entfernt bist, wie hoch dein Ziel, wie rein dein Wesen.

Jeder Mensch könnte ein Lohengrin sein, er darf nicht sagen, wer er ist, und wenn die Menschen ihm nicht glauben, so muss er weiter und darf sich nicht enthüllen.

Jeder Mensch sollte die Wahrheit und Reinheit verteidigen, wenn er nur wüsste, wie unüberwindlich er ist in seiner Himmelskraft: Engel? Die Seelen sind Engel Gottes, Boten, und wissen es nicht! Im Nichtwissen liegt oftmals alles Unglück.

Wüsstest du, was du tun sollst auf der Erde, so könntest du nicht zaudern, nicht schwach werden, so kenntest du keine Furcht, denn du wärest sicher, abgerufen zu werden, sobald das getan ist, wozu du auf die Erde gesandt bist.

Du lässt dich befangen und unterjochen von dem Alltäglichen, das deinem Wesen so fremd ist, nur weil es fremd ist. Kenntest du es genau, so würdest du ob deiner Torheit lächeln und es abschütteln mit Ruhe und Gleichmut, ohne Verachtung zu zeigen, ohne unnötig zu reizen, da du weit hinaufblicken könntest, und sehen, dass man einmal das erreichen wird, wofür man dich heute in Kerker und Banden schlägt und unglücklich macht. Du wusstest ja, Seele, dass du während der Erdenlaufbahn unglücklich sein würdest. Zum Glücklichsein bist du nicht aus Himmelshöhen gekommen, sondern zum Helfen, in der Hoffnung, dass alle schneller ein besseres Dasein, ein freieres Selbstbewusstsein erreichen könnten, wenn man es ihnen nur sagte.

Du hast dich nicht geirrt, alle Denker kommen zu früh, alle, die eine Wahrheit verkündigen, werden gesteinigt. Aber der Gedanke lebt und die Wahrheit bricht sich Bahn, sie hat viele Träger, nicht dich allein. Du bist nur einer von vielen, und wenn du an der Stelle gewirkt, darin du gestellt bist, so sieh ruhig zu, was die andern tun, die vielleicht geschickter gewesen sind als du, vielleicht noch mehr haben leiden müssen, vielleicht noch dunklere Wege gewandelt sind.

Licht ist dein Element, Licht dein Wesen, Licht deine Bestimmung. Vergiss es nicht, dann brauchst du keinen Mut mehr, dann bist du frei.

Tierisches

Der große Augenblick

In seinem Käfig saß ein kleiner Vogel und sah mit sehnsüchtigen Augen in den Sonnenschein. Es war ein Singvogel, und es war in einem Kulturstaat – jedenfalls in einem solchen, der sich so nannte.

In blauer Ferne standen blaue Berge.

Hinter den Bergen liegt der Süden, dachte der kleine Vogel. Ich bin nur einmal den Weg dahin geflogen. Dann nicht wieder.

Die fernen Berge erschienen ihm ganz nah. Die Sehnsucht rückte sie so nah vor die Gitterstäbe.

„Sie sind so sehr nah", sagte der kleine Vogel. „Wenn nur die Gitterstäbe nicht wären! Wenn die Tür sich nur einmal öffnete – ein einziges Mal! Dann käme der große Augenblick, und ich wäre mit ein paar Flügelschlägen hinter den blauen Bergen."

Die Kraniche zogen. Durch die Herbstluft klang ihr klagender Schrei – klagend und lockend. Es war der Ruf nach dem Süden.

Sie verschwanden hinter den blauen Bergen. Der kleine Vogel rannte gegen die Gitterstäbe.

Der Winter kam, und der kleine Vogel wurde still. Der Schnee fiel, und die blauen Berge waren grau geworden. Der Weg nach dem Süden lag in Kälte und Nebel.

Es kamen viele Winter und viele Sommer. Es kamen viele Jahre. Die Berge wurden blau und wurden wieder grau. Die Zugvögel kamen vom Süden und zogen nach Süden. Der kleine Vogel hinter dem Gitter wartete auf den großen Augenblick.

Dann kam ein klarer sonniger Herbsttag. Da war die Tür des Käfigs geöffnet. Man hatte sie im Versehen offengelassen. Mit Willen tun es die Menschen nicht.

Der große Augenblick war da! Der kleine Vogel zitterte vor Freude und Erregung. Vorsichtig und scheu huschte er hinaus und flatterte auf den nächsten Baum. Alles um ihn herum verwirrte ihn. Er war es nicht mehr gewohnt. In blauer Ferne standen blaue Berge.

Aber sie schienen jetzt sehr fern zu sein. Viel zu fern für die Flügel, die sich jahrelang nicht mehr geregt hatten hinter den Gitterstäben. Doch es musste sein! Der große Augenblick war da!

Der kleine Vogel nahm all seinen Mut und seine Kraft zusammen und breitete die Flügel weit, weit aus – zum Flug nach dem Süden, hinter die blauen Berge. Aber er kam nicht weiter als bis zum nächsten Ast. Waren die Flügel verkümmert in den langen Jahren, oder war es etwas anderes, das in ihm verkümmert war? Er wusste es selbst nicht. Die blauen Berge waren fern, viel, viel zu fern für ihn.

Da flatterte er still in den Käfig zurück. Die Kraniche zogen. Durch die Herbstluft klang ihr klagender Schrei – klagend und lockend. Es war der Ruf nach dem Süden. Sie verschwanden hinter den blauen Bergen.

Da senkte der kleine Vogel den Kopf und barg ihn unter dem Flügel.

Der große Augenblick war vorüber.

Der blaue Vogel

In Island oder Ostpreußen, ich weiß es nicht mehr genau, denn es ist schon sehr lange her, wohnte einmal eine alte Königin. Sie war noch nicht so sehr alt, dass sie schon Runzeln gehabt hätte, aber sie war schon alt genug.

Sie saß ganz allein auf ihrem goldnen Thron und regierte. Sie hatte keinen König und keine Prinzen oder Prinzessinnen, die ihr hätten helfen können; und so musste sie alles selber regieren.

Es ging sehr ordentlich in ihrem Lande zu, denn die Minister und Räte taten pünktlich ihre Pflicht. Die Königin war auch gerecht; sie schenkte den guten Leuten Orden oder ihr königliches Bildnis und schickte die bösen ins Gefängnis oder ließ sie köpfen. Sie besaß schöne Schiffe und prächtige Soldaten, und ihre Kirchen trugen die höchsten Türme der Welt.

Trotzdem war die alte Königin oft traurig, denn es hatte sie niemand richtig lieb. Sie wurde zuletzt ganz krank und konnte gar nicht mehr lachen.

Ihr Leibarzt, der sonst ein kluger Mann war, wusste ihr nicht zu helfen. Er bestellte Feuerwerk und bengalische Beleuchtung, um die Königin zu belustigen und ließ geputzte Menschen aufs Schloss kommen, die Musik machen und tanzen mussten. Aber die Königin sah ganz woanders hin und fand alles langweilig. Auch das Essen schmeckte ihr nicht mehr, so große Mühe sich auch der dicke Koch damit gab. Ja, die arme Königin war recht zu bedauern.

Da kam eines Tages ein Mann im blauen Kittel aufs Schloss, der hatte auf der Schulter einen Vogel mit einem Silberfederschwänzchen, und der Vogel konnte sprechen. Der Mann sagte: „Guten Tag, Frau Königin, ich weiß, dass du krank und traurig bist; nimm diesen Vogel, vielleicht macht er dich wieder froh; ich reise durch meine Wälder, wenn ich wiederkomme, werde ich ihn fragen, ob er bei dir bleiben will; bleibt er, so wirst du gesund." Nach diesen Worten ging der Mann im blauen Kittel und ließ seinen Vogel bei der alten Königin.

Der gefiel ihr außerordentlich! Er war blau wie der Himmel und wippte mit seinem Silberfederschwänzchen auf und ab, dass es nur so blitzte! Die Königin mochte gar nicht mehr von ihm gehn; sie streichelte ihn, kraute ihm das Köpfchen und fragte ihn, wie er hieße und ob er bei ihr bleiben wolle. Der Vogel besah sich die alte Königin von oben bis unten, schüttelte seine Federn und sang:

Frohgemut heiß ich,
nach Hässlichem beiß ich,
alte Weiber mit Trauergesicht
lieb ich nicht!

„Majestät“, sagte der Leibarzt, „das ist ein grober Vogel, den solltest du köpfen lassen.“ Aber die alte Königin hatte den blauen Vogel nur noch lieber und wurde immer trauriger. Sie ließ den schönsten Gartensaal für ihn einrichten und hielt eigens Diener, die ihm Futter bringen und das Bad bereiten mussten.

All ihre freie Zeit brachte sie bei ihm zu. Manchmal fragte sie ihn bescheiden, ob er sie nun lieb hätte und bei ihr bleiben würde; aber dann lachte sie der Vogel aus und wurde noch gröber als das erste Mal. Die arme alte Königin grämte sich so, dass sie ganz mager wurde und in der Kirche sogar nicht mehr aufpassen konnte! Nicht einmal ein Vogel wollte sie lieb haben!

Eines Morgens stand sie wieder im Gartensaal und sah ihm zu, wie er lustig von einer Palme zur andern hüpfte, dass sein blaues Gefieder in der Sonne leuchtete. Die Königin schien er gar nicht zu bemerken. Da bekam sie wieder ihre große Traurigkeit. „Lieber Vogel Frohgemut“, rief sie, „willst du denn gar nichts von mir wissen? Sage, was ich tun soll.“ Da wippte der Vogel mit dem Silberfederschwänzchen und sagte: „Dummes Weib. dummes Weib.“

Als die Königin aber ein noch traurigeres Gesicht machte, flog er ihr auf die Schulter und sang ihr leise ins Ohr:

„Draußen, hinter Feld und Baum
träumt die Erde ihren Traum,
gehe hin, wecke sie,
höre ihre Melodie!“

Der alten Königin wurde ganz jung zumute, als sie das Liedchen hörte. Sie ließ sich ihren kleinen Purpurmantel bringen, der große mit dem Hermelin war viel zu lang, und ging mit dem Vogel, der wieder auf ihre Schulter flog, die Freitreppe hinunter in den Park. Der Leibarzt dienerte und wollte nach, aber sie befahl ihm zurückzugehen und dafür zu sorgen, dass sie allein bliebe.

Zum ersten Mal in ihrem langen Leben ging die Königin allein.

Da sah die Welt ganz neu und anders aus! Die Sonnenstrahlen waren lebendig! Wie Blitzgeister tanzten sie in den Blättern und auf dem Rasen. „Wer tanzt mit mir, wer spielt mit mir“, summte es der Königin durch den Kopf. Das war ein Lied, das sie als kleines Kind von der Amme gelernt hatte, und unwillkürlich sang sie es leise vor sich hin:

Wer tanzt mit mir?
Wer spielt mit mir?
Ich bin so sehr allein.
Kam da der gelbe Sonnenstrahl:
„Ich tanze Tippel – huschemal,
willst du meine Tänzerin sein?“
Wer tanzt mit mir?
Wer spielt mit mir?
Der Sonnenstrahl ist zu fein.
Kam da der wilde Pustewind,
„Heidi, ich spiele Wegefind,
laufe doch, fang‘ mich ein! …“
Wer tanzt mit mir?
Wer spielt mit mir?
Der Wind macht mein Krönchen entzwei!
Kam da ein brauner Junge an,
macht ‚nen Diener wie‘n Edelmann:
„Prinzess, ich bin so frei!“

„Bravo, bravo, schön“, sagte da der blaue Vogel, schüttelte sein Gefieder und flog hoch in die Luft. Die Königin sah ihm nach und sah, wie er immer weitere leuchtende Kreise zog, bis er vor lauter Helligkeit nicht mehr zu sehen war. Nun ist er weg, dachte sie, aber sie konnte nicht traurig sein, es war zu schön um sie herum, und alles sah sie warm und traulich an.

Neben ihr wuchs eine wilde Kirsche. Sie merkte den süßen Mandelgeruch und legte ihre Backe an den jungen Stamm. Du bist reich und gut, musste sie denken und guckte den Bienen nach, die den Baum besuchten. Weiter ging sie zu einem Goldregen. Sie sah deutlich, wie die gelben Köpfchen sich anstrengten, um aus der grünen Kammer an die Sonne zu kommen. Am liebsten hätte sie ihnen geholfen; weil sie das aber nicht konnte, streichelte sie die Blüten, eine nach der andern, so viele sie langen konnte! Dann öffnete sie das Parkgitter und war mitten im Walde.

Da standen die alten Kiefern und nickten mit den Kronen wie gute alte Tanten. Die Königin nickte ihnen auch zu und ging weiter ein gutes Stück in den Wald hinein. Als sie müde war, setzte sie sich auf einen abgeholzten Stamm und hörte auf das Summen der Insekten und das Hämmern des Spechtes. Sie sah zu, wie eine kleine Meise sich mit einem langen Strohhalm abmühte. „Ja, Schwesterchen, es ist schwer, sich ein Nestchen zu bauen, nicht wahr?“, sagte sie zu dem Vögelchen, das sie mit den kleinen klugen Augen neugierig ansah. Neben ihr machte ein Grashüpfer seine possierlichen Sprünge. Er putzte sich so drollig mit den dünnen Vorderfüßen sein Mäulchen, dass sie laut lachen musste! Ja, die alte Königin musste laut lachen und war darüber so vergnügt, dass sie gewiss ins Tanzen gekommen wäre, wenn sie nicht von all dem Sitzen auf dem Thron schon steife Beine gehabt hätte! Sie machte sich ein Sträußchen von Waldblumen, schürzte ihre seidne Schleppe hoch auf und ging viel schneller als vorher weiter in den Wald hinein.

Sie musste grad an den blauen Vogel und an sein seltsames Liedchen denken, als sie Stimmen hörte. Das waren gewiss Kinder, denn es klang herzlich und hell. Zuerst wollte die Königin umkehren, es war so schön allein im Walde gewesen; aber alte Damen sind neugierig, auch wenn sie Königinnen sind, und so ging sie weiter.

Richtig! Zwischen hohen Kiefernstämmen spielten etwa zwanzig Dorfkinder. Sie waren meist barfuß und arm gekleidet, hatten aber warme, frische Gesichter. Ein dicker kleiner Junge kam auf die Königin zu und sagte: „Willst du mitspielen? Wir spielen Häschen in der Grube, du hast so 'nen feinen Mantel um, das kann die Grube sein."

Der Königin war so, als wäre das ihr Söhnchen und sie ging mit. Die Kinder jubelten und nahmen ihr den Purpurmantel ab. Sie breiteten ihn auf die Erde, das sah ganz herrlich aus, setzten die Königin mitten darauf, machten einen Kreis und sangen:

Häschen in der Grube
saß und schlief,
kam der heilge Kuckdikuck,
und bracht' ihm einen Brief.
Häschen bist du müde?
Oder bist du krank?
Steck doch deine Läufer raus,
ob du noch hüpfen kannst.
Und was stand geschrieben
in Kuckdikuckens Brief?
Dem Kutscher, der nicht fahren kann,
geht der Wagen schief.

Die beiden letzten Zeilen sangen die Kinder sehr schnell und tanzten wie toll um die alte Königin herum. Ihr wurde ganz schwindlig, aber sie lachte, dass ihr die Tränen kamen und sang die Wiederholung mit:

Dem Kutscher, der nicht fahren kann,
geht der Wagen schief.

Als das Spiel aus war, sagten die Kinder, sie wäre eine lustige Frau, wie sie denn hieße. Die Kinder kannten ihre Königin bloß von Bildern her, wo sie ihr Königingesicht machte, und das sieht ganz anders aus, als wenn man mit Kindern spielt. Die Königin lachte und sagte: „Ich bin eine Fee und will den Ärmsten von euch was schenken." Die Kinder waren verlegen, sie wussten nicht, wer der Ärmste sei. Endlich sagte eines: „Fritz und Lene sind die Ärmsten, die haben keinen Vater und keine Mutter." Ja, das wären wohl die Ärmsten, meinten die andern auch. „Nun, so wünscht nur los", sagte die alte Königin und band sich ihren Purpurmantel wieder um; sie dachte gewiss, die Kinder würden sie dann eher für eine Fee halten. Der kleine Fritz, derselbe Junge, der die Königin zum Mitspielen eingeladen hatte, sagte gleich: „Ich möchte ein lebendiges Pferd haben."

„Sollst du", sagte die Königin, „und du, Lenchen? Das kleine Mädchen sah ihr forschend ins Gesicht: „Wenn du eine Fee bist, könntest du mir eine Mutter schenken, fast alle Kinder haben eine Mutter."

Da wurde der alten Königin wunderlich zu Sinn; sie nahm das kleine Mädchen an die rechte und den Jungen an die linke Hand, nickte den andern Kindern noch freundlich zu und ging mit den beiden ins Schloss zurück.

Der dicke Koch sperrte seinen großen Mund noch größer auf, als sie mit den Kindern über den

Schlosshof kam, und der Leibarzt machte vor Verlegenheit eine Verbeugung über die andere. Da sie aber Königin war, durfte ihr niemand dreinreden, und so blieben die Kinder im Schloss.

Auch ihre alte Großmutter wurde hingeholt und wackelte vor lauter Seligkeit immer von einem Bein aufs andre. Am besten aber hatte es die Königin, die wurde beinah wieder jung vor aller Freude. Die Kinder mussten bei ihr lernen und spielen; fast hätte sie das Regieren vergessen vor lauter Eifer! Ihr erster Gedanke des Morgens waren die Kinder und abends erzählte sie ihnen von dem lieben Gott und den Sternen und noch von vielen andern schönen Dingen. Am liebsten aber ging sie mit ihnen in den Wald; da wussten die Kinder die schönsten Plätzchen und brachten Mutter Königin frische Erdbeeren, die viel besser schmeckten, als die man bei Tisch bekam.

An den blauen Vogel hatte sie die ganze Zeit nicht mehr gedacht. Da hörte sie eines Tages fröhliches Lachen aus dem Gartensaal. Sie ging hinein, da tanzten Fritz und Lene um den blauen Vogel, der unbemerkt durch das Fenster gekommen war und nun fröhlich auf seiner kleinen Schaukel saß, als wäre er nicht weg gewesen. Die Kinder aber lachten, weil er immerzu schrie: „Dem Kutscher, der nicht fahren kann, geht der Wagen schief." Der kleine

Schelm musste wohl im Walde zugehört haben. Der Königin blitzten die Augen vor Freude, als sie den lieben blauen Vogel wiedersah, und nun lachten sie alle drei, dass die alten vergoldeten Stühle und die Bilder mit den steifen Königen mitwackelten.

Plötzlich hielten sie an. Die Tür war aufgegangen, der Mann im blauen Kittel stand im Saal. „Willst du mit, Frohgemut?“, fragte er. Der blaue Vogel wippte mit dem Silberfederschwänzchen, flog der Königin auf die Schulter und sang:

Die Welt ist gescheidt,
sie wechselt ihr Kleid
und schüttelt die Zeit!
Ich grüße den Herrn,
wo Kinder lachen, da bin ich gern.

Da nickte der Mann im blauen Kittel der Königin zu und ging. Der blaue Vogel aber blieb, und manchmal half er der Königin regieren.

Die Ameisen

In Hamburg lebten zwei Ameisen.
Die wollten nach Australien reisen.
Bei Altona auf der Chaussee
Da taten ihnen die Beine weh.
Und da verzichteten sie weise
Denn auf den letzten Teil der Reise.

(So will man oft und kann doch nicht
Und leistet dann recht gern Verzicht.)

Weggeflogen sind sie nicht

Sie fragen mich nach dem wichtigsten kulturellen und gesellschaftlichen Ereignis des Jahres? Warum sollten diese beiden Ereignisse getrennt sein? Sind nicht Kultur und Gesellschaft untrennbar, ja unzertrennlich, wie Kunst und Gesellschaft auf ewig getrennt sind?

Für mich war das wichtigste kulturelle und zugleich wichtigste gesellschaftliche Ereignis des Jahres der Besuch, den ich alljährlich meiner Freundin, der Schnee-Eule, im hiesigen Zoo, abstatte.

Was mich zu ihr treibt, sozusagen an ihren Hof – denn sie empfängt nicht immer und noch lange nicht jedermann –, was mich zu ihr treibt: sie ist so schön, so rein, so wild und klug. Auch kühn ist sie, wenn sie auch im Augenblick von ihrer Kühnheit nicht viel Gebrauch machen kann: Was man als ihr Existenzminimum errechnet hat, bekommt sie ans Gitter gebracht.

Worüber ich mich mit ihr unterhalte?

Nun, worüber unterhalten sich Schriftsteller mit Schnee-Eulen? Natürlich über das nie zu erschöpfende Thema Form und Inhalt. In diesem Jahr war unser Gesprächsthema Form und Inhalt der Freiheit.

Ich fragte die Schnee-Eule, ob man auch ihr, wie den Pelikanen und Kondoren, ein Freigehege angeboten habe.

Sie sagte, ja, das habe man, aber sie habe abgelehnt, sie zöge den Käfig vor.

Ich schwieg betroffen, kam mir, wie so oft schon, wenn ich mit dieser reinen, klugen, wilden Freundin mich unterhalte – ich kam mir sehr dumm vor:

Hast du denn nicht gesehen, fragte sie mich, was mit den Pelikanen und Kondoren los ist? Doch, sagte ich, ich sah, wie sie ihre herrlichen Flügel spreizten und schwangen, ihre majestätische Pracht ausbreiteten.

Und hast du, fragte meine Freundin, die Schnee-Eule, hast du denn gesehen, dass sie davongeflogen sind? Nein, sagte ich, weggeflogen sind sie nicht.

Und warum nicht, mein törichter Freund?, sagte die Schnee-Eule, weil sie ihre Flügel schwingen und drehen, ihre ganze Pracht ausbreiten, aber nicht wegfliegen können: man hat ihnen die Schwungfedern gestutzt.

Deshalb ziehe ich es vor, im Käfig zu bleiben.

Freigehege bedeutet: keine Gitter, aber gestutzte Flügel.

Käfig bedeutet: Gitter, aber ungestutzte Flügel.

Wegfliegen können sie so wenig wie ich.

Ansprache eines Bücherwurms

Der Kakerlak nährt sich vom Mist,
Die Motte frisst gern Tücher,
Ja selbst der Wurm ist, was er isst.
Und ich, ich fresse Bücher.

Ob Prosa oder Poesie,
Ob Mord – ob Heldentaten –
Ich schmause und genieße sie
Wie einen Gänsebraten.

Ich bin ein belesner Herr,
Nicht wie die andern Viecher!
Dass Bücher bilden, wisst auch ihr,
Und ich – ich fresse Bücher.

Die Nahrung, sie behagt mir wohl,
Verleiht mir Grips und Stärke.
Was andern Wurst mit Sauerkohl,
Das sind mir Goethes Werke.

Ich fraß mich durch die Literatur
So mancher Bibliotheken;
Doch warn das Meiste, glaub es nur,
Bloß elende Scharteken.

Das Bücherfressen macht gescheit.
So denken sich's die Schlauen.
Doch wer zu viel frisst, hat nicht Zeit,
Es richtig zu verdauen.

Drum lest mit Maß, doch lest genug,
Dann wird's euch wohl ergehen
Bloß Bücher fressen macht nicht klug!
Man muss sie auch verstehen.

Buchstäbliches

Deutsch für Gastarbeiter

Professor Yamasuke Hirotawa, ein Junggeselle von etwa fünfzig Jahren, lehrte bereits seit zehn Jahren deutsche Literaturgeschichte an der Universität Kobe, als er die Einladung erhielt, zwei Semester als Gastdozent an einer deutschen Universität zu verbringen. Professor Hirotawa hatte zu diesem Zeitpunkt zwar einige Aufsätze über Barocklyrik, eine zweibändige Analyse von Schillers „Wallenstein" und – sogar in deutscher Sprache – eine Abhandlung über den Bedeutungswandel des Dativs von Luther bis Hofmannsthal geschrieben und die Werke Kleists und Immermanns ins Japanische übersetzt, aber in Deutschland gewesen war er noch nie.

Was er – sozusagen sprachlich gesehen – in Deutschland erlebte, bedeutete für ihn nicht mehr und nicht weniger als eine Sensation, einen Umsturz aller Werte, eine Revolution.

Professor Hirotawa musste erkennen, dass seine Vorstellung von der deutschen Sprache veraltet, überholt, ja schlichtweg falsch war. Er, sagte Professor Hirotawa nach seiner Rückkehr nach Japan, der sein Leben und die Energie jahrzehntelangen Gelehrtenfleißes der deutschen Sprache gewidmet habe, hatte in Deutschland dagestanden wie der

Bauer von Sukudo im Shinto-Schrein (das bedeutet ungefähr: wie der Ochs vor dem Berg). Die Deutschen sprachen gar nicht das Deutsch, das er gelernt habe. Seine Lehrer am Goethe-Institut mussten Scharlatane gewesen sein. Er, Professor Hirotawa, erwäge einen entsprechenden Hinweis an die Adresse der Deutschen Botschaft, die offenbar keine Ahnung von dem schamlosen Treiben dieser sogenannten Lehrer habe.

Die Deutschen sprachen ein ganz anderes Deutsch, eine knappe, prägnante Sprache, die auf nahezu alle Konjugations- und Deklinationsformen verzichte, fast ausschließlich aus Substantiven bestehe und mit vielen plakativen Redensarten allgemeinverständlicher Art angereichert sei. Im Übrigen redeten alle Deutschen mit Händen und Füßen – und dieses oft gleichzeitig.

Schon als Professor Hirotawa das erste Mal mit der Straßenbahn fuhr, machte er eine hochinteressante Spracherfahrung. Er fragte den Schaffner nach einer Haltestelle, an der er aussteigen wollte. Der Schaffner sagte dann an der betreffenden Station nicht: „Hier ist die Haltestelle, nach der Sie gefragt haben, mein Herr. Bitte beeilen Sie sich. Der Schaffner sagte: „Du, he! Raus-jetzt. Dalli-dalli!“

Später kaufte sich Professor Hirotawa ein Fahrrad für den Weg von seinem möblierten Zimmer zur Universität. Auch das brachte ihn in Kontakt mit dem lebendigen Deutsch, das der Mensch auf der Straße offenbar spricht.

„Klingi-klingi – verstehen? Sonst kaputto, alter Chinese“, zum Beispiel heißt so viel wie: „An dieser Stelle müssen Sie, sofern Sie keinen Schaden erleiden wollen, akustische Signale geben, verehrter Angehöriger eines fernöstlichen Volkes.“

„Du plem-plem, scheinbara“, heißt: „Darf ich Sie darauf aufmerksam machen, dass Sie durch die Einbahnstraße in verkehrter Richtung fahren.“

Gewiss, schreibt Professor Hirotawa in seiner Abhandlung, in der er seine Erfahrungen mit der neudeutschen Sprache niederlegte, gewiss gibt es auch die altdeutsche Sprache noch. Zum Beispiel verstanden noch einige Studenten und mehrere Professoren, denen er begegnete, die altdeutsche Sprache, wenngleich mit Mühe. Außerhalb der Universität sei aber nur eine Verständigung im neuen Idiom möglich. Anfangs habe er es nicht unterlassen können, hie und da einen Mann auf der Straße in der Sprache anzureden, die er, Hirotawa, als Deutsch gelernt habe.

„Wären Sie geneigt, verehrte Blüte dieser Stadt, mir einige dieser auserlesenen Früchte gegen Entgelt zu überlassen?“, habe er zu einer älteren Dame gesagt, die auf dem Markt Obst und Gemüse feilbot. Die Dame habe ihn daraufhin angeschaut, als wäre ihr ein Gespenst erschienen.

Erst als er einige Birnen prüfend betastet habe, sei wieder Leben in sie gekommen. „Nix da anlangen. Griffel weg. Marsch, marsch. Alter Depp." Das heißt etwa: „Bitte unterlassen Sie es, die ausgestellte Ware zu befühlen, verehrungswürdiger Greis."

Auch sein Hauswirt habe nur die neudeutsche Kurzsprache gesprochen. „Was sagst? Zimmer nix gut? Zimmer nix dir gefallen? Zimmer zu klein – teuer? Dass nicht ich lachen. Zimmer sein viel, viel schön. Viel, viel billig. Du nur zahlen vierhundert. Molto wenig. Du verstehen? Sonst gemma-gemma." Als er einmal in der Nacht die Toilette benutzte, die sich – er könne nicht sagen, ob das in deutschen Häusern allgemein so üblich sei – im unteren Stockwerk befunden habe, sei die Frau des Hauswirts auf dem Flur erschienen und habe gesagt: „Nix Remmidemmi in Nacht. Pst. Du verstehen? Schleich dich." Das, interpretiert der Professor zutreffend, sei eine schon ans Unfreundliche grenzende Warnung gewesen.

Nun dränge sich natürlich die Vermutung auf, schreibt Professor Hirotawa in einem weiteren Kapitel seines Buches, dass die Deutschen nur aus Höflichkeit mit ihm, dem Japaner, derart substantivischprägnant sprachen. Das ist so zu verstehen:

die, wie die ganze Welt weiß, ungemein klugen und ungeheuer intelligenten Deutschen, die, wie sie selber gelegentlich durchblicken lassen, alles wissen, wissen auch sehr gut, dass das Japanische eine sogenannte agglutinierende Sprache ist, deren Nomina weder Geschlecht, Ein- oder Mehrzahl, Flexion oder Artikel kennen. Grob gesprochen: Wenn die Einzahl Baum heißt, so heißt die Mehrzahl nicht Bäume, sondern etwa: Baum-Baum. Nun sind die Deutschen nicht nur unermesslich gescheit, schreibt Professor Hirotawa, sondern auch im Gegensatz zu den Flegeln von Japanern – ganz außerordentlich höflich. Längere Zeit habe deshalb Professor Hirotawa angenommen, die Deutschen machten ihm gegenüber aus Höflichkeit und profunder Kenntnis der japanischen Sprache aus ihrer deutschen Sprache eine Art unflektiertes Japanisch mit deutschen Vokabeln. Zwei Umstände haben Professor Hirotawa in dieser Annahme bestärkt: Einmal hatte er Gelegenheit, einen anderen Japaner – den verehrungswürdigen Reederei-Makler Tohanube Kanaziki – in Deutschland zu treffen, der ihm bestätigt habe, dass die Deutschen auch ihm gegenüber so komisch redeten: „Ha, ha, alter Japse, du sein winzi-winzi Gauner …“ (Das heißt ungefähr: „Wir sind voll grenzenloser Bewunderung für Ihre Geschäftstüchtigkeit, lieber Sohn Nippons.“) Und dann habe er, Hirotawa, einmal, als er mit einer sehr höflichen und sehr intelligenten jungen deutschen Dame in einer Bar war, gegen besseres Wissen nicht „eine Flasche Sekt mit zwei Gläsern“ bestellt, sondern: „Sekt, eins, Glasi-Glasi, du verstehen?“ Worauf ein Leuchten über das Gesicht des Kellners gegangen sei.

Dennoch war alles ein Irrtum. Als der Hauswirt Professor Hirotawa kündigte, das heißt, als Professor Hirotawa feststellte, dass der Hauswirt sein Gepäck (sehr sorgfältig) vor die Haustür gestellt hatte, und zwar rücksichtsvollerweise so, dass es noch unter dem Vordach stand und nicht im Regen, hatte er, Hirotawa, die Möglichkeit, die Sprachgewohnheiten anderen Ausländern gegenüber zu beobachten. Das kam so: Professor Hirotawa wollte es sich nicht nehmen lassen, dem Hauswirt und seiner Gemahlin eine Abschiedsaufwartung zu machen, in der Hoffnung, dass sein Anblick den offenbar etwas vergesslichen Hauswirt an die noch für zwei Monate vorausbezahlte Miete erinnern konnte. Professor Hirotawa betrat also das Haus und hörte ein Gespräch zwischen dem Hauswirt und den vier Herren, denen er jetzt das Zimmer vermietet hatte. Es waren zwei Jugoslawen, ein Italiener und ein Grieche, also alles Angehörige von Völkern, die indogermanische Sprachen sprechen. Dennoch sagte der Hauswirt: „Nix miteinander vierhundert blechi-blechi. Jeder vierhundert. Kapito? Du vierhundert – du vierhundert – du vierhundert – du auch vierhundert!" Professor Hirotawa konnte sich nicht enthalten, seinem ehemaligen Hauswirt ein Kompliment zu machen: „Ich bin voller grenzenloser Bewunderung für Ihre Geschäftstüchtigkeit." Hirotawa sagte es in Neudeutsch: „Ha, ha, du sein winzi-winzi Gauner …"

Das Ganze habe zu einer kleinen Trübung seines freundschaftlichen Verhältnisses mit dem Hauswirt geführt, aber das sei nicht das eigentlich Merkwürdige an der Sache. Merkwürdig und interessant war, dass der Hauswirt auch gegenüber Angehörigen der indogermanische Sprachen sprechenden Völker das neue, agglutinierende, flexionslose Deutsch gebrauchte. Nun habe ihn der Fall eigentlich erst richtig zu interessieren begonnen. Er habe viele in Deutschland lebende Ausländer – Griechen, Italiener, Jugoslawen, Spanier, Araber, Afrikaner – angesprochen. Alle hatten ihm bestätigt, dass die Deutschen nur Neudeutsch sprächen. „Du sein Griech, du sein schweig", heißt: „Ich empfehle Ihnen dringend in Ihrem eigenen Interesse, die Gepflogenheiten des Gastlandes zu beachten …"

Endgültige Erkenntnisse habe Professor Hirotawa, schreibt er, erst in den letzten Wochen seines

Aufenthaltes gewinnen können, dass es tatsachlich eine neudeutsche Sprache gibt, die in wesentlichen Punkten von der ihm bis dahin geläufigen deutschen Sprache abweicht. Insoweit seien die Kündigung seitens des Hauswirtes und jener Abend in der Bar – wo er „Sekt und Glasi-Glasi" bestellt habe – glückliche Fügungen gewesen.

Er sei nämlich zu der erwähnten Dame gezogen, die – nicht von ihm, so lange war er nicht in Deutschland – ein Kind gehabt habe. Die Dame hieß Anita, das Kind – ein Knabe – Thomas. Beide, Mutter und Kind, waren unzweideutig und zweifelsfrei Deutsche, die deutsche Sprache war ihre Muttersprache. Anita war fünfundzwanzig, das Kind eineinhalb Jahre alt, konnte schon laufen, selbttätig den Fernseher andrehen und die Programme wählen. Beide, Mutter und Kind, sprachen sowohl mit ihm, Professor Hirotawa, als auch miteinander Neudeutsch:

„Papp-papp, dann heia gehen, morgen mit Mutti atta-atta." Es sei doch wohl anzunehmen, dass sich Eltern gerade Kindern gegenüber, die die Sprache lernen sollen, besonders korrekter Sprachgewohnheiten befleißigen, meinte Professor Hirotawa. Also habe er mit erhöhter Aufmerksamkeit auf die Gespräche zwischen Anita und ihrem Sohn geachtet, um das korrekte Deutsch zu lernen. Auch den reichen und interessanten Wortschatz der Großmutter habe er mit Gewinn studiert.

Sprachliche Studien bei anderen jungen Damen habe ihm, schreibt der Professor, die irgendwie ausschließliche Grundhaltung Anitas verwehrt. Als Anita durch Zusammentreffen mehrerer unglücklicher Umstande Einblick in andere Sprachstudien bekam, schluchzte sie: „Du Bock, nix mit dieses Luder. Raus hier!" Was so viel heißt wie: „Meine Seele ist voll Kummer, die Person hier ist deiner nicht würdig."

Dass das Neudeutsch nach und nach auch Amtssprache wird, habe er noch kurz vor seiner Rückreise erfahren, nämlich am Bahnhof. Die Durchsage per Lautsprecher sei ein herrliches Beispiel neudeutscher Sprache gewesen, allerdings für ihn vorerst noch unverständlich (Lautzeichen habe er sich notiert und sei dabei, sie zu entschlüsseln): „Ncht Nchtg, Meis Mei, Decht-ncht-cht, Kss-Kss-chrrm'stgn. Bitte zckzcktn."

„Habe nun, ach! Philosophie,
Juristerei und Medizin,
Und, leider! auch Theologie
Durchaus studiert, mit heißem Bemühn.
Da steh ich nun, ich armer Tor!
Und bin so klug, als wie zuvor!

Das sind die berühmten ersten Zeilen des Faustmonologs. Wir wissen, dass der japanische Germanist Professor Hirotawa auch der kongeniale Kleist- und Immermann-Übersetzer Yamasuke Hirotawa ist. Nun hat sich Hirotawa an ein neues Übersetzungswerk gemacht. Er übersetzte Goethe, aber nicht ins Japanische, sondern ins Neudeutsche. Sanfte und vorsichtige Retuschen können diese unsterblichen Verse mit neuer Aktualitat füllen, selbstverständlich ohne den Gehalt des Gedichtes anzutasten:

„Ich – lernen, viel, viel, Schule,
Kapiert? Köpfchen, Köpfchen.
Doktor – Advokat – Professor.
Sogar Beten – pfui Teufel –
Alles Scheiße.“

Und wie lautet nun jenes kurze Gedicht: „Über allen Wipfeln ist Ruh …?“

„Bäume, Wald – pst.
Nix brüllen.
Zwitscher-Zwitscher – auch pst.
Du bisschen warten.
Dann auch Mund halten.“

In libris

Ich habe oft behauptet, meine erste Lektüre seien die griechischen Götter- und Heldensagen gewesen, in der Schwabschen Volksausgabe. Vielleicht war das eine Lüge, und vorher kamen noch „Die fröhlichen Falkenbergs im Geisterhaus" von – ich weiß nicht mehr wem.

Das ist lange her.

Wahr ist, woran man sich erinnert.

Letztgenanntes Buch tat mir, nur deshalb blieb sein Titel unvergessen, große Dienste. Indem ich es mit dem Papiermesser aushöhlte und drinnen verbotene Dinge versteckte. Feuerwerkskörper, eine selbst konstruierte Miniaturguillotine für kriegsgefangene Wespen, Zeitungsausrisse nackter Frauen, Zigaretten.

Mein Vater brachte mir das Lesen bei, als ich gerade vier geworden war, und er tat es, damit ich in der Schule einen anständigen Vorsprung erzielen sollte. Er war sich nicht bewusst, mir etwas zu geben, das seine erzieherische Tätigkeit konsequent auf viele Jahre hin unterlaufen und entwerten würde.

Karl May las ich mit sechs, den „Nürnberger Prozess" mit neun, und wenn andere Cowboy &

Indianer spielten, verurteilte und erhängte ich Nazigrößen im Luitpoldpark. Kishon liebte ich mit zehn, Hesse-Prosa mit zwölf. Kishon trug mir schiefe Blicke ein, schlimm wurde es mit vierzehn, als es bei Suhrkamp den fetten roten Band mit allen Brecht-Dramen gab. Mein Vater fragte mich, ob ich Kommunist sei, ich antwortete, dass in meinem Alter doch alle irgendwie Kommunisten seien. Es war als Beschwichtigung gemeint, und ich erntete Ohrfeigen.

Mit fünfzehn der Bukowski-Eklat. Es gab beim 2001-Verlag ein Paket, bestehend aus Gedichten, einer Lesungsschallplatte und einem Poster. Dieses Poster zeigte Buk im Unterhemd, an den Kühlschrank gelehnt, links neben sich eine abgetakelte Hure, rechts neben sich eine Bierflasche. Es hing kaum länger als eine Woche in meinem Zimmer, dann fetzte es mein Vater (auf Anordnung, natürlich, meiner Mutter) von der Wand. Man muss dazusagen, dass – wäre schulisch alles in Ordnung gewesen – mir völlige Handlungs- und Meinungsfreiheit zugesichert gewesen wäre. Es handelte sich also keineswegs um eine ideologische Maßnahme, sondern um eine liebevolle.

Schulisch war überhaupt nichts in Ordnung. Dass ich im Französischunterricht unter der Bank Gedichte von Verlaine übersetzte, beeindruckte meinen Französischlehrer zwar, hinderte ihn gleichzeitig nicht, mir Sechser noch und noch zu verpassen. Ähnlich verhielt es sich mit der Physik, wo ich gern Nietzsche las. (In seinem Fall wussten meine Eltern nicht, wie sie zu dem stehen sollten, und ich denke, genau das war Nietzsches Lebensziel: Er hat alles daraufhin verfasst, meinen Eltern einmal unetikettiert zu begegnen. Ist ihm gelungen.)

Das Prägendste liest man mit der Taschenlampe unterm Kopfkissen. Von Marvel-Comics bis Hölderlin. Wenige Bücher behält man lebenslang im Herzen, die meisten sind Lebensabschnittspartner.

Ein Buch, das mir viel gegeben hat, als ich zwölf war, wie zum Beispiel „Ich, Claudius, Kaiser und Gott“ von Ranke-Graves, ist nicht deshalb schlechter geworden, weil ich heute älter bin. Sich nachträglich für einen überwachsenen Jugendgeschmack zu entschuldigen, ist ein ebenso häufiges wie dummes Unternehmen.

Nicht die Zeit des Buches, meine Zeit für dieses Buch ist vorbei.

Im Zweifelsfall leben die Bücher länger als ihre Bestatter. Ein Buch, das mir einmal wichtig war, behalte ich in ehrendem Angedenken. Wenn es mir beim Wiederlesen missfallen sollte, trage ich die Schuld, niemand sonst. Beschämt stelle ich es ins Regal zurück, lasse es in Ruhe oder empfehle es weiter. Unser Urteil kann reifen noch und noch, kann ebenso überreif, hybrid und senil werden, wer maßt sich an, den Höhepunkt unserer Urteilskraft festsetzen zu können? (Kritiker)

Nach dem Bukowski-Eklat bestrafte ich meine Eltern damit, nur noch sporadisch zur Schule zu gehen, schlechte Noten und blaue Briefe in einem sehr dicken Album zu sammeln.

Mit der Schultasche ging ich morgens in die Gemeindebücherei und las.

Stellte mir eine Art Stundenplan zusammen.

Zuerst eine Stunde schwere Philosophie. Hegel. Sartre. Marx. Heidegger.

Dann eine Stunde leichtere Belletristik, danach vielleicht etwas Lyrik, wie ein Stück Obst, und zum Ausklang heiter einhändiges Sportlesen im de Sade oder in einem dieser Bände erlesener Kunstaktphotographie – den Pornos für betuliche Gemüter.

Die Bibliothekarin, wäre sie nicht doof und gemein gewesen, hätte, zwischen den Regalen, unter ihrem Schreibtisch oder sonstwo, viel Sex mit mir haben können, superstrapazierfähig ausdauernden Lustknabensex, der ihr von ihrer braunbestrumpften Nickelbrillenhässlichkeit her nicht zugestanden wäre, den sie von mir dennoch bekommen hätte, umsonst, heftig und regelmäßig, weil sie die einzige Frau an diesem einsamen Ort war.

Unbegreiflich. So, als wär's umgekehrt gewesen, als hätte ich mich ihr schreiend verweigert, fragte sie mich eines Morgens, ob ich nicht wie alle Kinder schulpflichtig sei, ob sie nicht mal meine Eltern anrufen müsse …

Die darauf folgenden Prügel machten mich, das erste und einzige Mal, zum literarischen Märtyrer.

Ich verachte Märtyrer und Faust-Verschnitte, in sich gekrümmte Fäustlinge, die ihr Leben kompromisslos der Kunst widmen, deren Besessenheit in der Zwingburg eines Zieles landet, die unmenschlich werden und doch nicht göttlich. Das schönste an Märtyrern ist, dass sie tot sind.

Von da an bin ich schlauer gewesen, bin morgens weit gefahren, begann, die Büchereien systematisch zu wechseln, Bände, die mich interessierten, zu stehlen und im Wald zu lesen. Leihen ging nicht – unter sechzehn brauchte man eine Einverständniserklärung der Eltern, und die wollten, wie gesagt, alles fernhalten, was mich vom Lernen ablenken konnte.

Meine erste geheime Bibliothek war in hohlen Bäumen gelagert, Holz zu Holz, es ging nicht anders, mein Zimmer wurde an jedem dritten Tag durchsucht. Ich verstehe meine Erzeuger, sie wollten verhindern, dass ich anders würde als sie selbst, sie hatten Angst um mich, ja, und begründete Angst – ich wollte ihnen wirklich in nichts ähneln. Das hat sie um den Verstand gebracht, sie hätten mich beinah zu Tode geliebt.

Meine erste geheime Bibliothek wurde von Schnecken und Würmern besucht und faulte im Herbstregen. Manche Bücher wurden von Spaziergängern gefunden und anstandslos mitgenommen.

Bücher zu stehlen ist ein fast ebenso sinnliches Vergnügen wie Bücher zu lesen. In vielen Fällen war es aufregender, das steht fest.

Mit siebzehn entdeckte ich die Faszination von Dichterlesungen in Bibliotheken und Buchhandlungen. Die Dichter waren mir eher schnurz, meist hörte ich gar nicht erst zu. Saß lieber hinten in der letzten Reihe und stopfte mir die Jackentaschen voll.

In der Germeringer Gemeindebücherei war das wie Fischen im Aquarium. Man saß (natürlich nur im Sommer) am offenen Fenster, warf die vorher ausgewählten Bücher dutzendweise raus ins Gebüsch und sammelte sie spät nachts ein. So kam ich nach und nach zu umfassendem bibliophilen Besitz.

Aber mit achtzehn, eine Stunde nach meinem Geburtstag, stieg ich in den nächsten Zug weit fort, ließ alles zurück, sogar die Bücher. Ein tiefer Einschnitt war nötig.

Das Leben, das jetzt begann, als Mitglied einer Drückergang im VW-Bus quer durch Norddeutschland, vertrug sich nicht mit Büchern, es sei denn, dass es irgendwann in einem enden wird. Das ist eine andere Geschichte.

Monate später, in der ersten eigenen Wohnung, kam der Rückfall. Um meine Einkünfte als Kinokartenabreißer und Opernstatist ein wenig aufzufrischen, drängte ich mich einer Stadtzeitung als Rezensent auf und bestellte von den Verlagen viele, viele Bücher.

Manche las ich an, die guten wurden gelobt, die schlechten nach Lektüre des ersten Drittels verrissen.

Viele Bände wurden nur im Hinblick auf ihren Wiederverkaufswert in den Antiquariaten bestellt. Ich war erwachsen geworden.

Das Lesen seither hat nie mehr den gefährdeten Zauber der frühen Jahre wiedergewonnen. Es sei denn im gloriosen Moment, in dem selber Geschriebenes für fertig (vollendet) befunden und an den Verlag geschickt wurde. Und immer, wenn eins meiner Kinder in der Auslage eines Antiquariates auftaucht, gibt mir das Stiche ins Herz: Jemand hat es AUSGESETZT! Mein Buch! Grausame Welt!

Aber wenn es, Wochen später, aus der Auslage wieder verschwunden ist, aufatmen. *Jemand hat es adoptiert.* Danke. Behandelt es gut.

1901

Ich muss blass sein.
Die Gedanken verwirren sich aufs Neue.
Ich schlafe die Nächte nicht durch.
Die Seele sucht südwärts?
Fehlt es am Norden, oder woran?
Luft hab‘ ich und Nahrung.
Und Liebe hab‘ ich die Fülle erlangt.
Und kann doch nicht bleiben so.

Sonst wird‘s wie früher.
Gewaltsam in der Brust verschlossener Kummer.
Auf engem Ausweg heiseres Lachen.
Zum Bersten.

Und ich sage wieder,
dies Lachen erhebe allein über das Tier.

Hänschen Klein

Seit ich das Ding zum ersten Mal gesehen hatte, war diese furchtbare Versuchung in mir. Ich wusste, dass ich es eines Tages tun würde. Und doch kämpfte ich dagegen an. „Was sollen bloß die Kinder denken?", sagte ich mir. „Und diese Schande, wenn man dich dabei beobachtet!" Wochenlang gelang es mir, den Gedanken an das Ding vollständig zu verdrängen. Aber dann wieder genügte der Anblick eines kleinen Jungen, der auf der Straße spielte, um den Wunsch in mir übermächtig werden zu lassen. In solchen Augenblicken hatte ich es am liebsten ohne Rücksicht auf die Kinder einfach getan!

Zu meiner Entschuldigung kann ich höchstens anführen, dass ich eine schwere Kindheit hatte.

Jeder gute Psychologe würde die Ursache meiner Untat unschwer auf den Einfluss meines grausamen Vaters zurückführen, der mir mit seinen ungeschlachten Händen den ersten und einzigen Aufziehkran, den ich je geschenkt bekam, noch am Weihnachtsabend überdreht hat. Auch hatte ich das schwere Schicksal zu tragen, einen Tretroller zu besitzen, den man nicht treten konnte. Die Tretmechanik war kaputt. Ich hatte ihn schon als Gebrauchtroller erhalten. Ja, alles dies sind Frühschäden, die sich in meine zarte Seele gefressen haben und die mich mit unbarmherziger Konsequenz zu jener zwanghaften Lusthandlung führten, die ich heute Morgen begangen habe …

Es war 5.30 Uhr. Ich konnte nicht mehr schlafen. Darum stand ich auf und zog mich an, um vor dem Frühstück noch etwas spazieren zu gehen. Wie zufällig lenkte ich meine Schritte in Richtung Kinderspielplatz. Es war noch dunkel. Nur das müde Licht der Straßenlaterne erhellte die Spielgeräte ein wenig. Ein Kaninchen hoppelte erschrocken davon. Ich sah mich ängstlich um. Kein Kind, kein Erwachsener in der Nähe! Vorsichtig schlich ich mich an der Sandkiste und an der Wippe vorbei – direkt zu der Kinderseilbahn. Kennen Sie eine Kinderseilbahn? Ein dickes Stahlseil ist mit leichtem Gefälle zwischen zwei etwa zwanzig Meter voneinander entfernten Masten gespannt. Auf dem Seil läuft eine Rolle, und an der hängt ein Tau mit einem Sitzknoten dran. In meiner freudlosen Jugend hatte ich von so einer Seilbahn noch nicht mal zu träumen gewagt. Ich machte einen kleinen Sprung, hielt mich an dem Tau fest, und – hui! – sauste ich an dem Seil entlang durch die Luft.

Oh, welch Gefühl der Freiheit und der Selbstvergessenheit! Im Ganzen bin ich dreimal Kinderseilbahn gefahren. Niemand hat's gesehen. (Außer dem Kaninchen.) Dann bin ich ganz harmlos und fröhlich nach Hause gegangen und hab' *Hänschen klein* gepfiffen.

Herbstliches

Die fünfte Jahreszeit

Die schönste Zeit im Jahr, im Leben, im Jahr? Lassen Sie mich nachfühlen.

Frühling? Dieser lange, etwas bleichsichtige Lümmel, mit einem Papierblütenkranz auf dem Kopf, da stakt er über die begrünten Hügel, einen gelben Stecken hat er in der Hand, präraffaelitisch und wie aus der Fürsorge entlaufen; alles ist hellblau und laut, die Spatzen fiepen und sielen sich in blauen Lachen, die Knospen knospen mit einem kleinen Knall, grüne Blättchen stecken fürwitzig ihre Köpfchen … ä, pfui Deibel! … die Erde sieht aus wie unrasiert, der Regen regnet jeglichen Tag und tut sich noch was darauf zugute: Ich bin so nötig für das Wachstum, regnet er. Der Frühling –?

Sommer? Wie eine trächtige Kuh liegt das Land, die Felder haben zu tun, die Engerlinge auch, die Stare auch; die Vogelscheuchen scheuchen, dass die ältesten Vögel nicht aus dem Lachen herauskommen, die Ochsen schwitzen, die Dampfpflüge machen Muh, eine ungeheure Tätigkeit hat rings sich aufgetan; nachts, wenn die Nebel steigen, wirtschaftet es noch im Bauch der Erde, das ganze Land dampft vor Arbeit, es wächst, begattet sich, jungt, Säfte steigen auf und ab, die Stuten brüten, Kühe sitzen auf ihren Eiern, die Enten bringen lebendige Junge zur Welt: kleine piepsende Wolleballen, der Hahn – der Hahn, das Aas, ist so recht das Symbol des Sommers! Er preist seinen Tritt an, das göttliche Elixier, er ist das Zeichen der Fruchtbarkeit, hast du das gesehn?, und macht demgemäß einen mordsmäßigen Krach … der Sommer –?

Herbst? Mürrisch zieht sich die Haut der Erde zusammen, dünne Schleier legt sich die Fröstelnde über, Regenschauer fegt über die Felder und peitscht die entfleischten Baumstümpfe, die ihre hölzernen Schwurfinger zum Offenbarungseid in die Luft strecken: Hier ist nichts mehr zu holen … So sieht es auch aus … Nichts zu holen … und der Wind verklagt die Erde, und klagend heult er um die Ecken, in enge Nasengänge wühlt er sich ein, huuh macht er in den Stirnhöhlen, denn der Wind bekommt Prozente von den Nasendoktoren, hochauf spritzt brauner Straßenmodder … die Sonne ist zur Kur in Abazzia … der Herbst –?

Und Winter? Es wird eine Art Schnee geliefert, der sich, wenn er die Erde nur von Weitem sieht, sofort in Schmutz auflöst; wenn es kalt ist, ist es nicht richtig kalt sondern nasskalt, also nass … Tritt man auf Eis, macht das Eis knack und bekommt rissige Sprünge, so eine Qualität ist das! Manchmal ist Glatteis, dann sitzt der liebe Gott, der gute, alte

Mann, in den Wattewolken und freut sich, dass die Leute der Länge lang hinschlagen … also, wenn sie denn werden kindisch … kalt ist der Ostwind, kalt die Sonnenstrahlen, am kältesten die Zentralheizung – der Winter –?

„Kurz und knapp, Herr Hauser! Hier sind unsere vier Jahreszeiten. Bitte: Welche –?“

Keine. Die fünfte.

„Es gibt keine fünfte.“

Es gibt eine fünfte. – Hör zu: Wenn der Sommer vorbei ist und die Ernte in die Scheuern gebracht ist, wenn sich die Natur niederlegt, wie ein ganz altes Pferd, das sich im Stall hinlegt, so müde ist es – wenn der späte Nachsommer im Verklingen ist und der frühe Herbst noch nicht angefangen hat –: dann ist die fünfte Jahreszeit.

Nun ruht es. Die Natur hält den Atem an; an andern Tagen atmet sie unmerklich aus leise wogender Brust. Nun ist alles vorüber: geboren ist, gereift ist, gewachsen ist, gelaicht ist, geerntet ist, – nun ist es vorüber. Nun sind da noch die Blätter und die Gräser und die Sträucher, aber im Augenblick dient das zu gar nichts; wenn überhaupt in der Natur ein Zweck verborgen ist: Im Augenblick steht das Räderwerk still. Es ruht.

Mücken spielen im schwarz-goldenen Licht, im Licht sind wirklich schwarze Töne, tiefes Altgold liegt unter den Buchen, Pflaumenblau auf den Höhen ... kein Blatt bewegt sich, es ist ganz still. Blank sind die Farben, der See liegt wie gemalt, es ist ganz still. Boot, das flussab gleitet, Aufgespartes wird dahingegeben – es ruht.

So vier, so acht Tage –

Und dann geht etwas vor.

Eines Morgens riechst du den Herbst. Es ist noch nicht kalt; es ist nicht windig; es hat sich eigentlich gar nichts geändert – und doch alles. Es geht wie ein Knack durch die Luft – es ist etwas geschehen; so lange hat sich der Kubus noch gehalten, er hat geschwankt ..., na ... na ..., und nun ist er auf die andere Seite gefallen. Noch ist alles wie gestern: die Blätter, die Bäume, die Sträucher ... aber nun ist alles anders.

Das Licht ist hell, Spinnenfäden schwimmen durch die Luft, alles hat sich einen Ruck gegeben, dahin der Zauber, der Bann ist gebrochen – nun geht es in einen klaren Herbst. Wie viele hast du? Dies ist einer davon. Das Wunder hat vielleicht vier Tage gedauert oder fünf, und du hast gewünscht, es solle nie, nie aufhören. Es ist die Zeit, in der ältere Herren sehr sentimental werden – es ist nicht der Johannistrieb, es ist etwas andres. Es ist: optimistische Todesahnung, eine fröhliche Erkenntnis des Endes. Spätsommer, Frühherbst und das, was zwischen ihnen beiden liegt. Eine ganz kurze Spanne Zeit im Jahre.

Es ist die fünfte und schönste Jahreszeit.

Der Herbst ist gekommen

Wacht auf, ihr Burschen,
Der Morgen graut,
Der Herbst ist gekommen,
Ach sehr doch, ach schaut.

Ach welch' schönes Leben,
Nun wieder beginnt,
Es blühen die Reben,
Es stürmet der Wind!

Es spielt der Wind im Kieselsande,
Es reift der Pfirsich und die Pflaum',
Es schwebt ein süßer Duft im Lande,
Es fällt ein jedes Blatt vom Baum,

Jetzt ist nun da des Sommers Ende,
Es blüht nun schon die Haselnuss'
Der Sommer reicht mir seine Hände,
Zu einem süßen Abschiedskuss.

Im bunten Wald

Der Nebelung ist ein harter Herr; was er sagt, das gilt. Ein Blick von ihm, und der Espenbaum wird blass; ein Wink, und die Linde ist kahl; ein Wort und die Pappel gibt ihr Goldlaub her. Mit dem Weinmond lässt sich noch reden; wenn er auch rau tut, er meint es nicht so schlimm. Sein Nachfolger aber besteht bis zum letzten Buchstaben auf seinem Scheine, und dieser besagt: Das Laub soll fallen und diese Blume muss welken, stumm wird der Vogel und es stirbt der Wurm.

Den bunten Rock, den der Frühherbst dem Wald schenkte, nimmt der Spätherbst ihm fort; die Lieder, die die Herbstsonne die Amsel lehrte und den Star, verbietet der gestrenge Herr ihnen, der Falter versteckt seiner Schwingen Sammet und Scharlach in einer Rindenritze, und die Hummel, die um die letzte Kleeblume flog, wird zum langen Schlaf in das Moor geschickt.

Freilich, so leicht wie sonst wird es dem harten Herrn in diesem Jahre nicht, seinen Willen durchzusetzen. Zu viel Saft ist im Holze, zu viel Kraft in den Wurzeln, und weil im Sommer die Sonne fehlte, lebten die Blätter der Bäume langsamer denn je. Nach Sonnensommern waren die hohen Birken um diese Zeit schon längst nackt und kahl; heute aber leuchtet ihr goldfarbiges Laub noch lustig vor den schwarzen Kiefern, die mit mürrischen Gesichtern darauf warten, dass sie allein dort zur Geltung kommen. Ein Weilchen werden sie noch lauern müssen. Die Birken haben bald ausgespielt; sie tun zwar so, als sei es ein Spaß für sie, die grüne Wintersaat mit gelben Blättern zu bestreuen, aber morgen schon ist es aus mit diesem kurzweiligen Spiele. Die Rotbuchen sind zäher; da ist noch manche, die sich nicht ergeben will und so grün dasteht, als sei sie zwei Monate im Kalender zurück, und die Eichen lehnen die Zumutung, dem Herbst zuliebe das braune Kleid anzulegen, mit Hohngebrumm ab.

Das hilft ihnen aber alles nichts, wollen sie heute nicht, so müssen sie morgen. Eine Buche nach der anderen fügt sich der Vorschrift und kleidet sich dem neuen Herrn zuliebe in Goldgelb und Feuerrot, um dann Stück für Stück der bunten Tracht wieder abzulegen und schließlich arm und leer dazustehen. Den Eichen wird es nicht besser gehen, diese und jene Krone bräunt sich schon, dichter wird der braune Teppich zu ihren Füßen, und eines Tages haben sie nichts mehr vor den Buchen voraus als dem Ruhm, länger ausgehalten zu haben.

Es lohnt sich schon, diesem Kampf zwischen dem Walde und dem Wetter zuzusehen, wo der Boden rot ist von den Wunden, die der Herbst dem Wald schlug. Niemals im Jahre, selbst im leichtsinnigen lustigen Brachmonde nicht, ist der Berg so bunt wie zur jetzigen Zeit, und so kahl sind die Wege und Raine noch nicht, als dass sich nicht noch ein bescheidener Strauß letzter Blumen finden und binden ließe mit einem prangenden Hintergrunde von goldenem Blattwerk und silbernen Grasrispen, ein wirklicher, handgreiflicher Strauß oder einer, der nur in der Erinnerung blüht. Und es ist auch noch nicht so rot und still im Walde, dass nicht ein lustiger Laut, ein froher Ruf die Stille unterbräche oder die schwermütigen Herbstlieder der Kronen auf einen fröhlicheren Ton stimmte.

Die alten Eichen am Eingange des Fahrweges brummen ärgerlich, und die hohen Buchen murmeln zornig; der Grünspecht aber lacht den Wind aus; wenn er von Stamm zu Stamm fliegt, funkelt sein roter Scheitel, leuchtet sein maigrüner Rücken in der Sonne so unvorschriftsmäßig sommerfarbig, dass die winzigen Goldhähnchen, die in dem winterdunklen Nadelwerk der Kiefern schüchtern piepend umherhuschen, ein keckes Gezwitscher erheben, dass der Fink noch einmal so laut seinen Lockton hören lässt und der Zaunkönig im Rosenbusche zu singen anhebt, als wäre der Frühling eben in den Wald gezogen.

Mag auch immer wieder brummiges Südwestgewölk über die Berge kriechen, die Sonne lässt sich nicht unterdrücken. Sie erobert sich die bunten Abhänge, nimmt das lachende Tale hin, gibt der junge Saat Maigrün und kleidet den Wald in Zauberfarben. Mit klirrendem Lustschrei jagen sich die blitzenden Krähen in der Luft, der Bussard schickt aus der Höhe seinen klingenden Ruf hinab, und der Goldammerhahn auf dem Schlehenbusch findet das kleine Lied wieder, das er im jungen Sommer sang, als der Rain zwischen Wald und Feld bunt von Blumen war und voll von fröhlichem Volk.

So ganz kahl ist er heute noch nicht. Wer sich oft genug bücken mag, findet bunten Lohn. Hier und da lebt noch eine rote Flockblume oder ein weißer Stern, die sich vor der Sichel retteten, überall schimmern die kecken Maßliebchen, weiße Dolden stehen bei rosigem Tausendgüldenkraut, Hahnenfuß und Habichtskraut recken ihre gelben Blüten über das Gras, mit blauer Farbe können Braunwurz und Flockenblume dienen, und damit auch das grelle Rot nicht fehle, sprengt am Grenzsteine der wilde Mohn seine allerletzte Knospe, während den Graben entlang das Landrohr seine Silberrispen im Winde schwenkt und im Weißdornhagen die blanken Beeren wie Korallenketten leuchten. Über den letzten Blumen aber schwebt und summt es von blitzenden Fliegen und schimmernden Wespen. Nicht viele sind es mehr, aber doch immer genug, um Leben an den Rain zu bringen, und wie die Sonne voll auf den Waldrand fällt, wirbeln Wolken silberner Wintermücken dahin.

Im Walde selbst ist es auch farbig genug, so weit die Sonne reicht. Da funkelt das bunte Laub, da wehen die Zweige und winken die Äste lustig und munter, in mailichem Grün prangt der grasige Weg, und das Reh, das mitten im Wege steht, bekommt eine warme Farbe, als trüge es noch sein rotes Sommerhaar.

Eine Buche, die voll im Lichte steht, sieht aus, als hätte sie eben erst ihr Laub entfaltet, die krausen Stechpalmenhorste unter ihr sprühen silberne Funken umher, die Wedel der Farne verjüngen sich in der Sonne, die grauen Stämme nehmen den Ton alten Silbers an, und das Falllaub zwischen ihnen bekleidet den Abhang mit einem prunkvollen Teppich.

Finkenschlag und Drossellied hat der Wald nicht mehr, und Mönch und Laubvogel sind lange fort; steht die Sonne aber vor den Wolken, dann flötet die Sprechmeise, lockt der Baumläufer, Meisentrupps erfüllen die Kronen mit lustigen Lauten, Krammetsvögel lärmen dahin, der Dompfaff flötet durch das Unterholz, die Eichelhäher schimpfen von Baum zu Baum, und ihre nordischen Vettern, die seltsamen, langschnäbligen Nusshäher, seit langen Jahren einmal wieder hier zugereist, mischen fremde Laute in die bekannten Töne.

Im hohen Ort, wo die Sonne nicht hinkam, ist es still und stumm, und nur das Geraschel des Laubes geht um. Im Lichtschlage nebenan lodern alle Farben der Wellen durcheinander und finden sich wieder in dem funkelnden Gefieder des Fasanenhahnes, der so stolz auf dem moosigen Buchenstumpfe hockt, als meine er, der Wald bemühe sich, ihm gleichzukommen an Glanz und Pracht, bis der Wind auffrischt und den bunten Narren in die Dickung scheucht.

Nun aber wird es erst recht lustig auf der Rodung. Das ist ein Gezucke und Gezappel und Gerucke und Gerappel, ein Funkeln und Flammen, ein Lodern und Leuchten, wild und toll; aus allen Kronen rieselt es herab, es wirbelt über die Blöße, als schwebten tausend goldene Schmetterlinge dahin, es schwebt und gleitet, tanzt und springt, fliegt und flattert, wirbelt und wimmelt, dass es dem Hasen, der stillzufrieden im Lager sitzt, nicht mehr hier gefällt und er zu Felde rückt, wo er vor dem Laubfalle Ruhe hat. Und so wie er fort ist, verschnauft der schabernacksche Wind, und still ist es wieder im Walde.

Der Wind nahm die Sonne mit. Fahl sind die Höhen, trübe die Gründe, fort ist das rote Gold, verschwunden das schimmernde Silber, grau sind die Stämme und braun ist das Laub. Was eben so lustig klang, vom Tale her des Hundes Gebell, des Hahnes Ruf, heiser und hart klingt es jetzt, trübselig mutet der Dompfaffen Lockton an, hässlich der Häher Gekreisch und die letzte Blume am Wegerand wirkt wie ein verlegener Witz in einem Sterbehause.

Über die Berge kommt die Dämmerung gekrochen, steigt in das Tal hinab und schiebt sich in den Wald, heuchlerische Tränen vergießend und verlogene Seufzer ausstoßend. Die Schatten rücken zusammen und drängen die Farben fort, jeder frohe Laut geht im hohlen Blättergeruschel unter, und irgendwo hinten im Walde spukt einer Eule gespenstiger Pfiff umher. Aus ist es für heute mit des Waldes Pracht. Mit der Sonne kann sie wiederkommen, ist die Nacht vorüber. Mit jedem Morgen wird sie geringer sein. Schließlich bleibt nichts von ihr übrig als mürrische Stämme und ernste Kronen. Von allen den frohen Stimmen behält der Wald nur einen leisen Lockton, einen rauen Ruf. Die Blumen am Raine fallen um, die blitzenden Fliegen vergehen. Der Herbst kommt zu seinem Rechte. Heute kämpft er noch darum, muss sich noch viel bemühen, ehe er die Farben tötet, bis kein Mensch mehr pflücken kann einen bunten Spätherbststrauß im bunten Wald.

Spaziergang am Herbstabend

Wenn ich abends einsam gehe
Und die Blätter fallen sehe,
Finsternisse niederwallen,
Ferne, fromme Glocken hallen:

Ach, wie viele sanfte Bilder,
Immer inniger und milder,
Schatten längst vergangner Zeiten,
Seh ich dann vorübergleiten.

Was ich in den fernsten Stunden,
Oft nur halb bewusst, empfunden,
Dämmert auf in Seel‘ und Sinnen,
Mich noch einmal zu umspinnen.

Und im inneren Zerfließen
Mein ich‘s wieder zu genießen,
Was mich vormals glücklich machte,
Oder mir Vergessen brachte.

Doch, dann frag ich mich mit Beben:
Ist so ganz verarmt dein Leben?
Was du jetzt ersehnst mit Schmerzen,
Sprich, was war es einst dem Herzen?

Völlig dunkel ist's geworden,
Schärfer bläst der Wind aus Norden,
Und dies Blatt, dies kalt benetzte,
Ist vielleicht vom Baum das Letzte.

Raffiniertes

Feder und Schwert

Ein Dialog

In der Ecke eines Zimmers stand ein Schwert. Die helle, stählerne Fläche seiner Klinge erglänzte, vom Strahle der Sonne berührt, in rötlichem Scheine. Stolz hielt das Schwert Umschau im Zimmer; es sah, dass alles sich an seinem Glasten weidete. Alles? Nicht doch! Dort auf dem Tische lag, müßig an ein Tintenfass gelehnt, eine Feder, der es nicht im Mindesten einfiel, sich vor der glitzernden Majestät jener Waffe zu beugen. Das ergrimmte das Schwert und es begann also zu sprechen:

„Wer bist du wohl, nichtswürdig Ding, dass du nicht gleich den andern vor meinem Glanze dich beugst und ihn bewunderst? Sieh nur um dich! Alle Geräte stehen ehrfurchtsvoll in tiefes Dunkel gehüllt. Mich allein, mich hat die helle beglückende Sonne zu ihrem Liebling erkoren; sie belebt mich mit ihrem wonnigen Flammenkusse, und ich lohne ihr's, indem ich ihr Licht tausendfach wiederstrahle. Mächtigen Fürsten nur ziemt es, in leuchtendem Gewände daherzuschreiten. Die Sonne kennt meine Macht, darum legt sie mir den königlichen Purpur ihrer Strahlen um die Schultern."

Lächelnd erwiderte drauf die besonnene Feder: „Sieh doch, wie eitel und stolz du bist und wie du dich brüstest mit dem erborgten Glanze! Sind wir doch beide, besinne dich, ganz nahe Verwandte. Beide hat uns die sorgende Erde geboren, beide sind wir im Urzustand vielleicht im selben Gebirge nebeneinandergestanden, Jahrtausende lang; bis der Menschen geschäftiger Fleiß die Ader des nützlichen Erzes, deren Bestandteile wir waren, entdeckte. Beide nahm man uns weg; beide sollten wir, ungefüge Kinder der rauen Natur noch, ober der Hitze der dampfenden Esse, unter des Hammers mächtigen Schlägen zu nützlichen Gliedern des irdischen Treibens umgeschaffen werden. Und so auch geschah es. Du wurdest ein Schwert, bekamst eine große und feste Spitze; ich, eine Feder, wurde mit einer dünnen, zierlichen bedacht. Sollen wir wirklich schaffen und wirken, müssen wir uns erst die glänzende Spitze benetzen. Du mit dem Blute, ich nur mit Tinte!“

„Diese Rede, in gelehrtem Stile gehalten“, fiel nun das Schwert ein, „macht mich lachen fürwahr. Ist es doch grade, als wollte die Maus, das kleine nichtige Tierchen, ihre nahe Verwandtschaft mit dem Elefanten beweisen. Die spräche dann so wie du! Denn auch sie hat gleich dem Elefanten vier Beine und hat sich sogar eines Rüssels zu rühmen. So könnte man glauben, sie seien zum wenigsten Vettern! Du hast, liebe Feder, sehr schlau und berechnend jetzt das nur genannt, worin ich dir gleiche. Ich aber will dir erzählen, was uns unterscheidet. Ich, das glänzende, stolze Schwert, werde um die Hüfte geschnallt von einem kühnen, edlen Ritter; dich aber, dich steckt ein altes Schreiberlein hinter sein langes Eselsohr. Mich erfasst mein Herr mit kräftiger Hand und trägt mich in die Reihen der Feinde; ich führe ihn hindurch. Dich, beste Feder, führt dein Magister mit zitternder Hand über vergilbtes Pergament. Ich wüte furchtbar unter den Feinden, springe mutig, tollkühn bald her, bald hin; du kratzest in ewiger Monotonie über dein Pergament hin und wagst dich nicht ein Stückchen aus jenen Bahnen, die dir die führende Hand vorsichtig weist. Und endlich, endlich geht meine Kraft zu Ende, werde ich alt und schwach, dann ehrt man mich, wie es Helden geziemt, stellt mich im Ahnensaale zur Schau und bewundert mich. Was aber geschieht mit dir? Ist dein Herr mit dir unzufrieden, wirst du alt und beginnst du mit dicken Strichen über das Papier hinzukreuchen, packt er dich, entreißt dich dem Stiele, der dir Stütze war, und wirft dich weg, wenn er nicht Gnade übt und dich mit ein paar deiner Schwestern um wenige Kreuzer einem Trödler verkauft."

„Du magst ja in mancher Beziehung", versetzte

die Feder sehr ernst, „so unrecht nicht haben. Dass man mich oft gering schätzt, ist ja wahr, ebenso wie, dass man mich, nachdem ich unbrauchbar geworden bin, sehr übel behandelt. Doch deswegen ist die Macht, die mir zu Gebote steht, solange ich arbeiten kann, keine geringe. Es kommt ja nur auf eine Wette an!"

„Du wolltest *mir* eine Wette anbieten?", lachte das übermütige Schwert.

„Sofern du wagst, dieselbe anzunehmen."

„Und *ob* ich sie annehme", versetzte das Schwert, das sich noch immer nicht vom Lachen erholen konnte.

„Was gilt die Wette?"

Die Feder aber setzte sich zurecht, nahm eine strenge Amtsmiene an und begann:

„Wir wollen wetten, dass ich imstande bin, dich zu hindern, deiner Arbeit, dem Kampfe, nachzugehen, wenn ich will!"

„Ho, ho, das klingt ja kühn."

„Bist du zufrieden?"

„Ich gehe darauf ein."

„Nun wohl", sagte die Feder, „lass uns sehen."

Es waren wenige Minuten seit dem Abschlusse dieser Wette vergangen, als ein junger Mann in reichem Waffenkleide eintrat, das Schwert fasste und sich dasselbe anlegte. Hierauf betrachtete er wohlgefällig die blanke Klinge. Von draußen erschallte heller Trompetenruf, Trommelwirbel, es ging zur Schlacht. Eben wollte der junge Mann das Zimmer verlassen, als ein anderer, der eine hohe Stelle bekleiden musste, wie man aus seinem reichen Schmucke ersah, eintrat. Der Junge verneigte sich tief vor ihm. Der Würdenträger war indessen an den Tisch getreten, hatte die Feder erfasst und eilends etwas hingeschrieben. „*Der Friedensvertrag ist schon unterzeichnet*“, sagte er lächelnd. Der Jüngere stellte sein Schwert wieder in die Ecke, und beide verließen das Zimmer.

Auf dem Tische aber lag die Feder. Der Sonnenstrahl spielte mit ihr, und ihr feuchtes Erz glitzerte hell.

„Ziehst du nicht zum Kampfe, mein liebes Schwert?“, fragte sie lächelnd.

Das Schwert aber stand still in der finsteren Ecke. Ich glaube, es prahlte nie wieder.

Merkwürdige Gespenstergeschichte

Verwichenen Herbst fuhr ein fremder Herr durch Schliengen, so ein schöner, braver Ort ist. Den Berg hinauf aber ging er zu Fuß wegen den Rossen und erzählte einem Grenzacher folgende Geschichte, die ihm selber begegnet ist:

Als der Herr ein halbes Jahr vorher nach Dänemark reiste, kommt er auf den späten Abend in einen Flecken, wo nicht weit davon auf einer Anhöhe ein sauberes Schlösslein stand, und will über Nacht bleiben. Der Wirt sagt, er habe keinen Platz mehr für ihn, es werde morgen einer gerichtet und seien schon drei Scharfrichter bei ihm über Nacht. So erwidert der Herr: „Ich will denn dort in das Schlösslein gehen. Der Zwingherr, oder wem es angehört, wird mich schon hineinlassen und ein leeres Bett für mich haben." Der Wirt sagt: „Manch schönes Bett mit seidenen Umhängen steht aufgeschlagen in den hohen Gemächern und die Schlüssel hab' ich in Verwahrung.

Aber ich will es Euch nicht raten. Der gnädige Herr ist schon vor einem Vierteljahr mit seiner Frau und mit dem Junker auf eine weite Reise gezogen, und seit der Zeit wüten im Schlösslein die Gespenster. Der Schlossvogt und das Gesinde konnten nimmer bleiben; und wer seitdem in das Schlösslein gekommen ist, der geht zum zweiten Mal nimmer hinein." Darüber lächelte der fremde Herr; denn er war ein herzhafter Mann, der nichts auf die Gespenster hielt, und sagt: „Ich will's probieren." Trotz aller Widerrede musste ihm der Wirt den Schlüssel geben, und nachdem er sich mit dem Nötigen zu einem Gespensterbesuch versehen hatte, ging er mit dem Bedienten, so er bei sich hatte, in das Schloss. Im Schloss kleidete er sich nicht aus, wollte auch nicht schlafen, sondern abwarten, was geschieht.

Zu dem Ende stellte er zwei brennende Lichter auf den Tisch, legte ein Paar geladene Pistolen daneben, nahm zum Zeitvertreib den Rheinländischen Hausfreund, der so in Goldpapier eingebunden an einem roten, seidenen Bändelein unter der Spiegelrahme hing, und beschaute die schönen Bilder. Lange wollte sich nichts spüren lassen. Aber als die Mitternacht im Kirchturm sich rührte und die Glocke zwölf schlug, eine Gewitterwolke zog über das Schloss weg und die großen Regentropfen schlugen an die Fenster, da klopfte es dreimal stark an die Türe, und eine fürchterliche Gestalt mit schwarzen, schielenden Augen, mit einer halbellenlangen Nase, fletschenden Zähnen und einem Bocksbart, zottig am ganzen Leib, trat in das Gemach und brummte mit fürchterlicher Stimme: „Ich bin der Großherr Mephistopheles. Willkomm in meinem Palast! Und habt Ihr auch Abschied genommen von Frau und Kind?" Dem fremden Herrn fuhr ein kalter Schauer vom großen Zehen an über den Rücken hinauf bis unter die Schlafkappe, und an den armen Bedienten darf man gar nicht denken. Als aber der Mephistopheles mit fürchterlichen Grimassen und hochgeschobenen Knien gegen ihn herkam, als wenn er über lauter Flammen schreiten musste, dachte der arme Herr: In Gottes Namen, jetzt ist's einmal so, und stand herzhaft auf, hielt dem Ungetüm die Pistole entgegen und sprach: „Halt, oder ich schieß!" Mit so etwas lässt sonst nicht jedes Gespenst sich schrecken, denn wenn man auch schießen will, so geht's nicht los, oder die Kugel fährt zurück und trifft nicht den Geist, sondern den Schutz. Aber Mephistopheles hob drohend den Zeigfinger in die Höhe, kehrte langsam um und ging mit ebensolchen Schritten, als er gekommen war, wieder fort. Als aber der Fremde sah, dass dieser Satan Respekt vor dem Pulver hatte, dachte er: Jetzt ist keine Gefahr mehr, nahm in die andere Hand ein Licht und ging dem Gespenst, das langsam einen Gang hinabschritt, ebenso langsam nach, und der Bediente sprang, so schnell er konnte, hinter ihm zum Tempel hinaus und ins Ort, dachte, er wolle lieber bei den Scharfrichtern über Nacht sein, als bei den Geistern. – Aber auf dem Gang auf einmal verschwindet der Geist vor den Augen seines kühnen Verfolgers und war nicht anderst, als war er in den Boden geschlupft. Als aber der Herr noch ein paar Schritte weiter gehenwollte, um zu sehen, wo er hingekommen, hörte auf einmal unter seinen Füßen der Boden auf und er fiel durch ein Loch hinab, aus welchem ihm Feuerglast entgegenkam, und er glaubte selber, jetzt geh' es an einen andern Ort. Als er aber ungefähr zehn Fuß tief gefallen war, lag er zwar unbeschädigt auf einem Haufen Heu in einem unterirdischen Gewölb. Aber sechs kuriose Gesellen standen um ein Feuer herum, und der Mephistopheles war auch da. Allerlei wunderbares Gerät lag umher und zwei Tische lagen gehäuft voll dunkelnder Rößleintaler, einer schöner als der andere. Da merkte der Fremde, wie er daran war. Denn das war eine heimliche Gesellschaft von Falschmünzern, so alle Fleisch und Bein hatten. Diese benutzten die Abwesenheit des Zwingherrn, legten in seinem Schloss ihre verborgenen Münzstöcke an und waren vermutlich von seinen eigenen Leuten dabei, die im Haus Bericht und Gelegenheit wussten; und damit sie ihr heimlich Wesen ungestört und unbeschrien treiben konnten, fingen sie den Gespensterlärmen an, und wer in das Haus kam, wurde so vergelstert, dass er zum zweiten Mal nimmer kam. Aber jetzt fand der verwegene Reisende erst Ursache, seine Unvorsichtigkeit zu bereuen und dass er den Vorstellungen des Wirts im Dorf kein Gehör gegeben hatte. Denn er wurde durch ein enges Loch hinein in ein anderes finsteres Gehalt geschoben und hörte wohl, wie sie Kriegsrecht über ihn hielten und sagten: „Es wird das beste sein, wenn wir ihn umbringen und danach verlochen." Aber einer sagte noch: „Wir müssen ihn zuerst verhören, wer er ist, und wie er heißt, und wo er sich herschreibt." Als sie aber hörten, dass er ein vornehmer Herr sei und nach Kopenhagen zum König reise, sahen sie einander mit großen Augen an, und nachdem er wieder in dem finstern Gewölb war, sagten sie: „Jetzt steht die Sache letz. Denn wenn er gemangelt wird und es kommt durch den Wirt heraus, dass er ins Schloss gegangen ist und ist nimmer herausgekommen, so kommen über Nacht die Husaren, heben uns aus, und der Hanf ist dies Jahr wohlgeraten, dass ein Strick zum Henken nicht viel kostet." Also kündigten sie dem Gefangenen Pardon an, wenn er ihnen einen Eid ablegte, dass er nichts verraten wolle, und drohten, dass sie in Kopenhagen wollten auf ihn Achtung geben lassen; und er musste ihnen auf den Eid hin sagen, wo er wohne. Er sagte: „Neben dem ‚Wilden Mann' linker Hand in dem großen Haus mit grünen Läden." Danach schenkten sie ihm Burgunderwein ein zum Morgentrunk, und er schaute ihnen zu, wie sie Rößleintaler prägten bis an den Morgen. Als aber der Tag durch die Kellerlöcher hinabschien und auf der Straße die Geißeln knallten und der Kühhirt hürnte, nahm der Fremde Abschied von den nächtlichen Gesellen, bedankte sich für die gute Bewirtung und ging mit frohem Mute wieder in das Wirtshaus, ohne daran zu denken, dass er seine Uhr und seine Tabakspfeife und die Pistolen habe liegen lassen. Der Wirt sagte: „Gottlob, dass ich Euch wieder sehe, ich habe die ganze Nacht nicht schlafen können. Wie ist es Euch gegangen?"

Aber der Reisende dachte: Ein Eid ist ein Eid, und um sein Leben zu retten, muss man den Namen Gottes nicht missbrauchen, wenn man's nicht halten will. Deswegen sagte er nichts, und weil jetzt das Glöcklein läutete und der arme Sünder hinausgeführt wurde, so lief alles fort. Auch in Kopenhagen hielt er nachher reinen Mund und dachte selber fast nicht mehr daran. Aber nach einigen Wochen kam ab der Post ein Kistlein an ihn, und waren darin ein Paar neue, mit Silber eingelegte Pistolen von großem Wert, eine neue goldene Uhr mit kostbaren Demantsteinen besetzt, eine türkische Tabakspfeife mit einer goldenen Kette daran und eine seidene, mit Gold bestickte Tabaksblase und ein Brieflein drin. In dem Brieflein stand: „Dies schicken wir Euch für den Schrecken, so Ihr bei uns ausgestanden, und zum Dank für Euere Verschwiegenheit. Jetzt ist alles vorbei, und Ihr dürft es erzählen, wem Ihr wollt.“ Deswegen hat's der Herr dem Grenzacher erzählt, und das war die nämliche Uhr, die er oben auf dem Berg herauszog, als es in Hertingen Mittag lautete, und schaute, ob die Hertinger Uhr recht geht, und sind ihm hernach im Storken zu Basel von einem französischen General 75 neue Dublonen darauf geboten worden. Aber er hat sie nicht drum geben.

Latifa und die schwarze Magie

Sollte der Leser glauben, dass wir es mit keinen weiteren Haushaltsproblemen zu tun bekommen hätten, so wäre er im Irrtum. Besonders seit der Ankunft unseres prächtigen kleinen Rafi nehmen die Probleme kein Ende. Eine schier unübersehbare Reihe von Sarahs, Mirjams und Leas ist seither an uns vorübergezogen, denn Rafi erwies sich als ein ungemein begabter Hausmädchen-Entferner. Kaum tritt eine neue weibliche Hilfskraft über die Schwelle unseres Hauses, beginnt Rafi, von irgendwelchen atavistischen Instinkten befeuert, seinen schrillen, lang anhaltenden Kriegsgesang, der das aufzunehmende Mädchen unfehlbar zu folgender Bemerkung veranlasst:

„Ich wusste nicht, dass Sie so weit vom Stadtzentrum wohnen. Leider –“ Und eine Sekunde später ist sie spurlos verschwunden.

Aber die Vorsehung ließ uns nicht im Stich. Ein sonniger, gnadenreicher Tag bescherte uns Latifa, die eine Empfehlung von ihrer Schwester Etroga mitbrachte. Etroga hatte vor drei oder vier Jahren in unserem Haushalt gearbeitet. Jetzt schickte sie uns zur Rache ihre Schwester. Aus irgendwelchen

Gründen ließ Rafi die gewohnte proletarische Wachsamkeit vermissen: Während wir mit Latifa verhandelten – und das dauerte länger als eine halbe Stunde –, kam kein Laut über seine Lippen. Zu unserer grenzenlosen Freude nahm Latifa den Posten an.

Latifa war ein breitgesichtiges, kuhartiges Geschöpf. Ihr arabischer Dialekt bildete ein reizvolles Gegenstück zum fließenden Österreichisch meiner Schwiegermutter.

Bald aber mussten wir entdecken, dass mit Latifa auch die schwarze Magie in unser Heim eingezogen war. Zunächst jedoch erfreute sich Latifa allgemeiner Beliebtheit, obwohl sie eine eher langsame Wesensart an den Tag legte und mit jeder ihrer schläfrigen Bewegungen deutlich bekundete, dass sie viel lieber in der Sonne oder im Kino gesessen wäre, statt sich mit Windeln und ähnlichem Zeug abzugeben.

Der erste schwerere Zusammenstoß mit Latifa entstand wegen des venezianischen Spiegels. Wir waren gerade dabei, einige innenarchitektonische Veränderungen in unserer Wohnung vorzunehmen. Während wir die Möbel prüfend hin und her schoben, ließ meine Gattin an Latifa den Auftrag ergehen, den erwähnten Spiegel in die Zimmerecke zu hängen. (Mein Schwiegervater hatte das unförmige

Ding in Wien gekauft, aufgrund der schwindelhaften Versicherung des Händlers, dass man in Israel für diesen Wertgegenstand eine ganze Schafherde im Tausch bekäme.)

„Den Spiegel in die Ecke?“, stöhnte Latifa. „Hat man je gehört, dass jemand freiwillig einen Spiegel in die Zimmerecke hängt? Jedes Kind kann Ihnen sagen, dass ein Spiegel in der Ecke entsetzliches Unglück über das ganze Haus bringt!“ Und mit ungewohnter Lebhaftigkeit erzählte sie uns von einer ihrer Nachbarinnen, die allen Warnungen zum Trotz einen Spiegel in die Zimmerecke gehängt hatte. Was geschah? Eine Woche später gewann ihr Mann zehntausend Pfund in der Lotterie, erlitt vor Freude einen Schlaganfall und starb.

Wir waren tief betroffen. Und da wir uns keinem solchen Unheil aussetzen wollten, verkauften wir den Spiegel kurzerhand für zwanzig Piaster an einen Altwarenhändler, dem wir, um ihm die Transaktion schmackhaft zu machen, noch drei Paar Skier samt den dazugehörigen Stiefeln draufgaben.

Drei Tage später kam es abermals zu einer Krise, als wir Latifa aufforderten, den Plafond zu säubern.

„Entschuldigen Sie“, sagte Latifa. „Aber Sie glauben doch nicht im Ernst, dass ich auf eine Leiter hinaufsteigen werde, solange der Kleine im Haus ist? Er braucht nur ein einziges Mal unter der Leiter durchzukriechen und bleibt sein Leben lang ein Zwerg. Dann können Sie ihn an einen Zirkus verkaufen."

„Na, na", sagte meine Frau besänftigend, und ich schloss mich ihr an. „Na, na", sagte ich besänftigend.

„Na, na? Was wollen Sie damit sagen? Der Tischler in unserem Haus hat einen Sohn, der ist jetzt fünfzehn Jahre alt und nur einen halben Meter groß, weil er als Kind immer unter den Leitern durchgekrochen ist. Wenn Sie aus Ihrem Sohn mit aller Gewalt einen Zwerg machen wollen, kann ich Sie nicht hindern. Aber ich möchte meine Hand nicht dazu hergeben."

Als Nächstes kam die Sache mit den Fensterscheiben. Latifa erklärte, nur ein Irrsinniger könne daran denken, die Fensterscheiben am Freitag putzen zu lassen – wo doch jeder Mensch weiß, dass dann sofort ein Brand ausbricht. Vergeblich bemühten wir uns, Latifa zu einer einmaligen Zuwiderhandlung gegen ihre wohl fundierten Lebensregeln zu bewegen. Sie blieb hart. Wenn wir ihr im weiten Umkreis – so verkündete sie – auch nur eine einzige normal denkende Frauensperson zeigen könnten, die bereit wäre, am Freitag die Fenster zu putzen, dann würde sie für die nächsten drei Monate auf ihr Gehalt verzichten.

Wir gaben auf, gingen zum Fenster und blickten verzweifelt hinaus. Was sahen wir? In der Wohnung unseres Drogisten gegenüber war das Hausmädchen gerade damit beschäftigt, die Fenster zu putzen. „So ein Gauner!“, rief Latifa empört. „Erst gestern hat er eine Feuerversicherung abgeschlossen!“

Donnerstagnachmittag ersuchten wir Latifa, die Vorhänge abzunehmen. Sie taumelte, als hatte sie der Blitz getroffen, und brachte nur noch ein Flüstern zustande; „Was?“, flüsterte sie. „Was? Die Vorhänge abnehmen? Im Monat Kislew? Sind Sie verrückt? Damit der kleine Rafi krank wird?“ Diesmal waren wir entschlossen, nicht nachzugeben. Wir informierten Latifa unumwunden, dass wir ihr nicht glaubten, und außerdem gebe es um die Ecke einen Doktor. Latifa wiederholte, dass sie eine so verbrecherische Handlung wie das Abnehmen von Vorhängen im Monat Kislew nicht mit ihrem Gewissen vereinbaren könne. Daraufhin machten wir uns erbötig, die volle Verantwortung für alle etwa eintretenden Folgen zu übernehmen. „Schön“, sagte Latifa. „Kann ich das schriftlich haben?“

Ich setzte mich an den Schreibtisch und fertigte eine eidesstattliche Erklärung aus, dass uns Frau Latifa Kudurudi für den Fall einer Vorhangabnahme vor einer Erkrankung unseres Söhnchens gewarnt hatte, aber von uns gezwungen worden wäre, die

Vorhange dessen ungeachtet und auf unsere Verantwortung abzunehmen.

Latifa nahm die Vorhänge ab.

Am Abend klagte der kleine Rafi über Kopfschmerzen. In der Nacht bekam er Fieber. Am Morgen zeigte das Thermometer vierzig Grad. Latifa sah uns vorwurfsvoll an und zuckte die Schultern.

Meine Frau lief um den Doktor, der bei Rafi eine Grippe feststellte.

„Aber wie ist das nur möglich?“, schluchzte meine Frau. »Wir passen doch so gut auf ihn auf. Warum bekommt er plötzlich eine Grippe?“

„Warum?“, kam Latifas Stimme aus dem Hintergrund des Zimmers. „Ich werde Ihnen sagen, warum! Weil ich die Vorhänge abnehmen musste.“

„Was?“ Der Doktor wandte sich um. „Was sagen Sie?“

„Jawohl!“, sagte Latifa. „Die Vorhänge. Hat schon jemals ein vernünftiger Mensch im Kislew die Vorhänge abgenommen, wenn ein kleines Kind im Haus ist?“

„Das Mädchen hat vollkommen recht“, sagte der Doktor. „Wie können Sie bei diesem unfreundlichen, nasskalten Wetter die Vorhänge abnehmen? Kein Wunder, dass der Kleine sich erkältet hat. Ich muss schon sagen, dass mich Ihr Vorgehen sehr überrascht …“

Latifa trat wortlos an den Arzt heran, zeigte ihm das von mir ausgestellte Zeugnis und begab sich ebenso wortlos in die Küche.

Seither richten wir uns widerspruchslos nach Latifas Entscheidungen. So viel wir bisher feststellen konnten, darf am Sonntag keine Wäsche gewaschen werden, weil sonst eine Überschwemmung entsteht, und das Polieren von Türklinken vor Frühlingsbeginn hat unfehlbar eine Schlangenplage zur Folge.

Im Übrigen erklärte Latifa, dass die Wohnung siebenundzwanzig Tage lang nicht aufgeräumt werden dürfte, wenn Rafi gesund werden soll. Am nächsten Morgen betrat sie das Zimmer, setzte sich in den Lehnstuhl und verlangte nach den Zeitungen.

Die Misswirtschaft in unserer Wohnung nimmt katastrophale Ausmaße an. Aber ich muss zugeben, dass Rafi nicht mehr hustet.

Quellenverzeichnis

Wir danken folgenden Autor/innen und Verlagen für die freundliche Abdruckerlaubnis:

Böll, Heinrich Weggeflogen sind sie nicht. aus: „Werke. Kölner Ausgabe Band 14“ von Heinrich Böll, herausgegeben von Jochen Schubert ©2001 by Verlag Kiepenheuer & Witsch GmbH & Co. KG, Köln.

Kaléko, Mascha Ansprache eines Bücherwurms, aus: Mascha Kaléko: Die paar leuchtenden Jahre. ©2003 Deutscher Taschenbuch Verlag, München.

Kishon, Ephraim Latifa und die schwarze Magie, ©1961 by LangenMüller in der F.A. Herbig Verlagsbuchhandlung GmbH, München

Krausser, Helmut In libris ©beim Autor

Lenz, Siegfried Hinter der Fliegenschnur, aus: Merian – Andalusien, Copyright ©1957 by Hoffmann und Campe Verlag, Hamburg

Rosendorfer Herbert Deutsch für Gastarbeiter, ©1985 by nymphenburger in der F.A. Herbig Verlagsbuchhandlung GmbH, München

Scheibner, Hans Hänschen Klein ©beim Autor

Leider war es uns trotz sorgfältiger Recherchen nicht möglich, alle Rechtsinhaber ausfindig zu machen. Für Hinweise sind Verlag und Herausgeberin dankbar.